KB096668

전직 음악교사가 전수하는

행복한 시니어 수업 레시피

이성수 | 최아이린

BOOKK

전직 음악교사가 전수하는

행복한

시니어 수업 레시피

발 행 | 2024년 8월 15일
저 자 | 이성수 최아이린
펴낸이 | 한건희
펴낸곳 | 주식회사 부크크
출판사등록 | 2014.07.15(제 2014-16호)
주 소 | 서울시 금천구 가산디지털 1로 119 SK 트윈타워 A동 305호
전 화 | 1670-8316
이메일 | info@bookk.co.kr
www.bookk.co.k
ISBN |979-11-419-0022-9

"늙어가는 사람만큼
인생을 사랑하는 사람은 없는 것이다."

-소포클레스-

★목차★

◀일러두기

☞ 이 책은 저자가 시니어 강사들(일반/음악)을 대상으로 강의했던 내용들과 센터에서 시니어를 대상으로 수업한 PPT를 풀어 만든 책이다.

(본문 네이비 색의 글자는 곡명과 가사)

☞ 주간보호 센터의 시니어를 주대상으로 삼고 있지만, 노인복지관에서도 적용 가능하고 건강 상태가 좋지 않은 요양원이나 병원에서는 수준을 낮춰 적용하면 활용이 가능하다.

☞ 강의 문의: 이성수 music0137@hanmail.net

다양한 사례와 음악적 스킬을 강의용 PPT 화면(영상 포함)을 통해 실습하며 자세히 배우고 익힐 수 있다.

머리말

머리말

우리는 현재 고령사회에 살고 있다. 만 65세 이상의 인구가 드디어 천만 명을 넘었다(행정안전부, 2024. 7.11). 1955-1963년 사이에 태어난 베이비붐머 세대만 800만 명이다. 치열했던 학력고사, 연합고사 세대가 시니어가 되어 이 시장에 들어오면 시니어 교육 분야의 수요가 늘고, 교육적 욕구도 다양해질 것이다. 시니어 관련 시설이 늘어나면서 시니어 강사의 수요도 눈에 띌 정도로 증가하고 있다.

일본에서는 노인들이 병이 들고 일상생활이 어려워져서야 장기 요양보험의 혜택으로 돌봄 서비스를 받는 것에서 나아가서 미리 치매 예방 및 건강 유지의 차원에서 노인을 대상으로 하는 교육 서비스를 계발하여 전 국민적으로 제공하자는 움직임이 있다고 들었다. 한국도 고령사회이니 여건이 비슷한 것을 감안한다면 이러한 시대적 변화와 움직임은 기회다. **시니어 시장은 점점 커질 것이고 강사로서 활동할 수 있는 교육 기회도 늘어갈 것이 예상된다.**

시니어 교육 시장의 전망이 밝은데 비해, 현재 노인주간보호센터나 요양원의 강사(특히 음악)는 부족한 실정이다. (지속적으로 '음악'강사를 양성하지 않는다면 프로그램별로 공급 인력의 부족 현상이 더욱 심화될 수 있다.) 그리고 음악을 전공하지 않거나 관련된 업종에 종사하지 않은 사람이 대부분 음악 강사로 활동을 한다. 한정된 장르의 음악과 정형화된 활동으로 고전하는 강사들과 뻔한 수업으로 싫증을 느끼는 시니어들에게 도움을 주고자 이 책을 썼다. 실제 시니어들이 좋아하고 기관 종사자들도 인정하는 내용이어서 유용하리라 믿는다.

주변에서 은퇴 후에 시간적 여유가 있는 사람들이 자신이 가진 재능을 사용하여 봉사의 의미도 담고 자신도 신나게 시간을 보내면서 일할 수 있는 곳이 어디 없을까 하는 생각을 한다는 것을 알았다. 음악 혹은 미술 방면에 재능이 있는 사람들이 특히 그런 것 같다. 어떻게 하면 시니어를 대상으로 하는 강사가 되는지 궁금해하기도 하고 또 노래만 좀 할 줄 알면 음악 강사로 활동할 수 있지 않을까 막연히 생각하는 사람들을 위해서도 썼다.

이 책은 시니어를 대상으로 음악 중심 수업을 한 경험을 토대로 시니어 수업을 이끌어 가는 방법과 자세를 설명하고, 음악인지, 음악 레크리에이션, 음악 체조 등 음악을 중심으로 한 다양한 활동을 소개하였다. '음악으로 버무린 시니어 수업'이라 보면 된다. 시니어들에게 재미를 주는 것은 물론 그들에게 필요한 인지능력이나 동작 향상을 목표로 수업 내용을 구성하였다.

독자들은 복지관, 노인주간보호센터, 요양원, 요양병원 등 수업의 대상이 되는 시니어들의 상황과 조건을 고려하여 수업의 내용을 선택하고 난이도를 조절하면 될 것이다.

시니어 관련 시설 종사자에게도 도움이 될 것이고, '음악' 외에 다른 과목의 강사들도 시니어에게 적합할 활동을 구상하고 구성할 때 크게 도움이 될 것이다. 음악인지를 중심으로 하고 있지만 놀이, 미술, 체육 강사들도 수업의 도입과 마무리 혹은 본시에 응용하여 적용할 수 있는 많은 아이디어를 얻을 수 있기 때문이다.

음악 강사가 댄스, 레크리에이션, 마사지 등 음악 고유의 영역(가창, 연주, 감상)을 넘어선 수업으로 인기를 얻고 있듯이, 다른 과목의 강사들도 음악을 수업에 활용한다면 재미있고 신선해서 인기를 끌 것이다. 요즘은 **융합교육**의 시대가 아닌가. 시니어와 효과적으로 소통할 수 있는 좋은 수단으로써의 음악을 경험해 보자.

음악과 특수교육과 음악치료를 공부한 지식과 경험 그리고 교육학과 사회복지를 공부하고 현장에서 다양한 시니어들을 만나 체득한 경험을 토대로 시니어들에게 적합하고 유익한 프로그램을 만들었다. 따라서 수업 내용에 대한 구체적이고 풍부한 예시를 통해 배우고 익히면 누구나 선호하고 존경받는 전문가로서의 시니어강사가 될 수 있을 것이다.

이 책이 시니어를 대상으로 수업을 하려는 강사가 갖추어야 할 역량을 강화시키고 모든 시니어 강사들이 참고할 만한 시니어 교과서로 활용되면 좋겠다. 시니어 강사라는 일에 대한 가치와 비전 vision까지 보여준다면 더할 나위 없다.

〈지혜로운 활용법 TIPS〉

☞ 시니어들이 좋아하는 노래는 **활동에 변화**를 주어 여러 번 할 수 있다. 새로운 프로그램을 접목하거나 동작의 일부나 도구를 바꿔 변화를 준다.
☞ '시대적 배경의 차이'라는 관점을 가지고 노래를 보면 가사나 동작 등에서 변화를 줄 수 있는 부분을 찾을 수 있다.
☞ 한편 율동, 악기, 리듬, 마사지 방법, 도구 등 제시한 수업방법은 그대로 두고 **노래만 바꿔도** 새로운 변화와 분위기가 된다. 따라서 곡과 활동의 조합으로 수백 가지의 수업이 나온다.
☞ 노래와 수업 예시를 통해 다른 분야에 창의적으로 접근하여 적용할 수 있는 부분을 더 생각해본다(타과목의 경우)

시대에 맞는 전문성을 구비하여 나이가 들어도 환영을 받고 동년배 의식으로 평생 일할 수 있는 시니어 강사 직업을 활기차게 유지하고 기쁨과 보람을 누리기를 바란다. 이 책이 인기 시니어 강사의 꿈을 가진 독자들에게 크게 도움이 되기를 바라며, 함께 책을 펴낸 나의 동반자인 최아이린에게 고마움을 표한다.

2024년 여름_ 이성수

PART 1

멋진 시니어 강사가 되자

1. '시니어 강사'는 이런 직업이다

시니어 강사는 시니어들이 생활하거나 주거하는 공간(시설)에서 음악, 미술, 체육 등 여러 가지 프로그램으로 시니어의 여가 활동을 돕고 기능 유지와 향상을 돕는 사람으로 보면 무난하다.

시니어 강사의 특징이자 장점은 첫째, 큰 자본 없이 자신의 재능을 팔아 시간에 얽매이지 않고 돈을 벌 수 있다는 점이다. 둘째, 본인의 능력과 건강과 열정이 허락하는 한 언제까지나 일할 수 있다. 새로운 지식과 기술로 무장한 젊은이들이 중심이 되는 기업과는 달리 연륜과 풍부한 인생의 경험이 바탕이 되어 인적 서비스를 제공하는 시니어 강사는 나이가 들수록 대상과 공감하며 일하기 좋다. 어느 기관에서는 너무 젊은 사람보다는 중년 이상의 나이 든 강사를 선호하기도 한다. '어르신을 더 잘 이해한다'는 이유에서였다.

강사라는 직업을 가지게 되면 자연적으로 '사회적 참여'와 '활동'은 보장이 되고 심지어 경제적 수입까지 생기니 강사 자신에게는 건강한 노후를 위한 대비가 된다고 볼 수 있다. 약하고 외로운 시니어들(결국 우리 모두는 시니어가 된다)은 서로 벗이 되어 의지하고, 시설 종사자들은 구체적인 도움을 준다. 그럼 시니어 강사들은? 흥미 있는 활동을 계발하고 제공함으로써 시니어들에게 위안과 힘을 준다고 생각한다.

2. 시니어 강사의 종류

시니어 강사의 과목별 종류는 인지미술, 교구인지, 놀이치료, 실버체육, 음악치료, 음악레크, 인지학습, 실버체조, 웃음치료, 실버민요 등 현재 다양한 이름으로 불린다.

노인들의 신체적, 정신적 건강을 증진시키고 사회적 상호작용을 촉진하기 위한 다양한 과목과 활동을 간단히 정리하면 다음과 같다.

첫째, 운동, 스트레칭, 요가, 재활 운동 등의 신체활동을 도와주는 건강 관리 프로그램은 실버체육/실버로빅/실버체조/체육놀이/스포츠지도/생활스포츠 등의 이름으로 불린다. 체육강사 전문업체의 경우 관련 도구들을 강사들에게 빌려주고 수업을 가이드하기도 한다. 강사 자신이 도구를 구입하지 않아도 되고 다양한 수업이 가능해서 알선업체를 이용하는 것도 초기엔 괜찮다고 생각한다.

둘째, 음악, 춤, 미술과 공예 등을 통해 창의력과 자기표현을 촉진하는 예술 활동이 있다. 먼저 시니어를 대상으로 하는 음악수업은 노인들의 인지 기능을 향상시키고, 일상생활에서의 기억력을 개선하며, 정서적 안정과 자존감을 높이는 데 매우 효과적이다. 이러한 음악 활동을 통해 노인들은 더 나은 삶의 질을 유지하고, 긍정적인 사회적 관계를 형성할 수 있는 매우 중요한 영역이다. 보통 불리는 '음악치료'는 임상치료라는 전문가적 기술을 필요로 하고 1:1 혹은 1:소수의 활동이다. 그래서 음악뿐만 아니라 여러 도구와 자료로 다수를 상대로 인지활동을 겸하는 것, 현재 저자가 활동하는 것은 '음악-인지활동지도사'라는 이름을 붙이면 적당하다는 생각이다. 그러나 현재 음악 영역은 음악치료/음악레크/실버민요 등의 이름으로 불린다.

또 하나의 예술 활동으로 미술과 공예가 있는데, 미술은 실버인지미술에 대한 전문적인 지식을 바탕으로 시니어를 위한 미술심리 교육 프로그램을 개발 및 적용하고, 이와 관련된 교육활동을 통해 독립심과 기억력 증진 및 자존감 형성을 목적으로 한다. 인지미술/실버미술 등의 이름으로 불린다. 알선업체를 이용하는 경우 수업을 위해 재료를 다 제공받을 수 있다. 더해서 다양한 수업 커리큘럼까지 제공받을 수 있어 강사 입장에서는 아이디어를 짜내느라 고생하지 않아도 되는 장점이 있다. 단 거리가 멀면 교통비 지출이 크니 경력이 어느 정도 쌓이면 가까운 기관을 스스로 계약하는 것도 고려해 보자.

셋째, 퍼즐, 퀴즈, 기억력 게임, 독서 및 토론(주간보호 센터에서는 잘 안 함) 등으로 치매를 예방하고 인지 기능을 유지하기 위한 인지능력 향상 프로그램이 있다. 여러 놀이 형태의 활동을 교육, 기획하여 정서적 안정과 운동능력과 인지능력을 유지시키는 것을 목적으로 한다. '교구인지'란 과목명으로 불리는데 체조

운동, 도구 활용 운동, 전래놀이 등 다양한 놀이를 통하여 인지 활용능력을 키우는 사람이란 뜻으로 '인지학습 놀이지도사' 혹은 '실버인지 놀이치료사'란 이름으로도 불린다. 알선업체를 통하면 교육 자료를 제공받을 수 있다.

넷째, 웃음치료사는 웃음으로 사람의 마음을 건강하고 즐겁게 만들어 몸도 건강해지도록 돕는 일을 한다. 웃음요법을 활용해 강의를 하고 부정적인 감정을 긍정적으로 바꿔주는 역할을 한다.

다섯째, 실버레크리에이션은 시니어들의 신체적, 인지적, 정신적 측면을 고려하여 행복과 활력을 증진시키는 놀이, 게임, 운동 등을 통해 삶의 역동성을 회복시키는 것을 목적으로 하는 과목이다.

3. 어떻게 강사가 되지?

먼저 다양한 과목 중에 나의 흥미를 끄는 즐거운 활동을 찾아본다. 강사 본인이 스스로 즐겁지 않다면 당연히 시니어들도 흥미를 가질 수 없고 강사 활동을 오래 못 하고 곧 그만두게 된다. 지치지 않으며 지속적으로 연구할 동력을 얻기 위해서 스스로 좋아하거나 잘할 수 있는 분야를 선택해야 한다. 물론 대학에서 관련 과목을 전공하였다면 좀 더 원활한 프로그램을 만들어 운영할 수 있을 것이다.

최근에 시니어 강사들의 수요가 늘어나면서 강사들을 영입해서 노하우도 교육을 하고 기관들과 연계를 해주는 회사가 늘어나고 있다. 회사와 계약하면 일정 수수료를 떼고 강사료를 지급받으며 소개받아 간 기관에 이후에 개인적으로 계약할 수 없다는 단점이 있다. 그러나 기관 영업 지원이나 사내 교육 및 교구 지원 등의 장점도 있으니 고려해 볼 만하다.

내가 스스로 시니어 관련 기관을 찾아서 강사 계약을 맺는 방법도 있다. 지인의 소개로 인맥을 활용하거나, 경력이 있다면 기관을 직접 찾아다니면서 나 자신을 홍보하는 것도 괜찮다. 이동거리에 의해서 발생하는 지출을 고려하여 내가 사는 지역 가까이에 있는 기관들부터 강사 구인 공고를 자주 확인하는 것이 필요하다.

자격증을 취득하는 것이 필수인데, 정부의 지원을 받아 교육받을 수 있는 기관도 있다. 평생교육원이나 00협회나 민간자격증 기관 등 시니어 강사를 교육하는 다양한 곳에서 자격증을 취득하면 된다. 치매환자가 증가하는 추세여서 치매예방을 위한 인지 놀이교육 프로그램이 '노인 두뇌훈련 지도사'란 이름으로 협회마다 개설되고 있는데, 음악, 미술, 체육 등의 전공 혹은 재주가 좀 부족하다 싶은 사람은 이 자격증을 소지해 놓으면 좋을 것 같다.

시니어 강사는 50분~한 시간 정도(기관마다 다르다)의 프로그램을 진행하고 1회당 급여를 받는다. 급여는 월초에 한번 받고 4대 보험은 해당이 안 된다. 노인 복지관 및 주간보호 센터, 요양원 등에서 주로 활동하게 되고 회당 4만 원~ 7만 원까지 책정되고 있다. 미술의 경우 재료 값을 빼고 3만 원 내외로 받는 경우가 많다. 중장년층 구직사이트 top 3 '장년 워크넷', '서울시 어르신취업지원', '시니어 채용관'을 참고하자.

4. 일타 시니어 강사 되는 길

처음 알선업체를 통해 요양원에서 수업을 하게 되었는데 많은 강사들이 힘들어하는 곳이었다. 강사가 수시로 바뀌며 강사들이 가기를 꺼려 하는 곳이었는데 음악수업을 성공적으로 하면서 시설장과 업체 사장에게서 인정을 받았다. 노인주간보호센터에서의 수업은 더욱 쉽게 느껴졌고, 시니어들이 즐거워하는 변화무쌍한 '건강한' 수업을 연구하고 제공하면서 점차 인기 있는 강사가 되었다.

학교 현장에서의 수업뿐만 아니라 복지관에서 노래교실, 합창단 지도, 교회 성가대 지휘 등 다양한 경험을 통해 체득한 인기 있는 강사가 되는 법을 공개한다.

음악 수업에 인지와 레크리에이션을 접목하여 재미를 추구하고, 댄스와 체조, 마사지까지 적용한 건강을 챙기는 수업을 구성하였다. 또한 음악 수업 고유의 영역인 합주를 넣어 성취감과 자존감을 극대화하였다. 음악치료대학원에서 배운 심리요법도 적용하였다. 모든 과목의 요소를 음악으로 버무린 수업, 일종의 퓨전음식처럼 '퓨전 음악수업'이라 볼 수 있다.

이 책에 있는 재미있는 수업 사례들과 꿀팁들을 그대로 따라하고 또 응용하면 시니어들이 좋아하고 기다리는 수업을 평생 할 수 있다.

간혹 음악치료를 전공한 사람들이 시니어 강사가 되어 음악 수업을 하려고 하는데 시니어에 대한 이해와 시니어의 음악세계를 이해하지 못해서 힘들어하는 경우를 보았다. 음악치료는 대부분 특수아동을 대상으로 하는 특수교육에 치중하고 있고, 정신분열자를 대상으로 하는 정신병원의 음악치료사가 하는 치료 수업도 시니어랑은 맞지 않는다.

특별히 곡 선정을 어떻게 해야 하는지 모르거나 시니어를 어떻게 대해야 하는지 몰라서 고생하고 음악 수업을 통해 시니어들의 능력을 어느 만큼 이끌어 낼 수 있는지 몰라 수업의 내용이 늘 한정적이고 반복되는 경향에 강사 본인들도 한계를 느낀다.

음악을 활용해 시니어 수업을 재미있고 활기차게 만드는 방법을 이해하면 강사들이 내용 구성뿐 아니라 시간 관리까지 쉽게 될 것이다. 다양한 교육현장에서의 다년간의 수업 경험을 바탕으로, 인기 있는 강사가 되는 비결을 정리하면 다음과 같다.

◀ 당당함과 준비성

시니어 강사는 당당한 마음가짐을 갖는 것이 무엇보다 중요하다. 자신감을 갖기 위해서 먼저 강의 계획에 따른 철저한 수업 준비는 기본이고 수업을 해야 할 기관에 대한 사전 조사, 즉 대상자에 대한 수준별 이해, 인원수, 성별, 수업 환경 그리고 그 기관에서 특별히 지켜야 하는 금기사항이 무엇인지 등에 정보를 미리 준비해서 **맞춤형 수업**을 준비해야 한다.

◀ 시니어에 대한 각별한 이해

시니어가 보편적으로 좋아하는 리듬으로 곡을 선정하는 것이 기본이다. 수업에 있어서는 계획한 수업의 내용만을 주입하느라고 애쓸 것이 아니라 시니어들의 상태를 살펴 가며 융통성 있게 운용해야 한다. 그들의 친숙한 언어로 친근감 있게 이야기하고 사랑스러운 눈빛을 주고받으면서 **서로 소통하는 수업**을 진행해야 한다.

◀ 감동을 주는 알찬 수업

시니어들에게 즐거움과 치료적 도움을 주겠다는 최선의 결과에 대한 집착으로 수업 내용을 거듭 연구했다. 시설마다 만족을 넘어 감동했고 계속 와 달라 평생 해 달라 요청이 끊이지 않게 되었다. 강사로서의 자부심과 배짱이 생기는 순간이다.

◀ 음악적 끼

음악 강사로서 악기를 잘 다루는 것은 엄청난 강점이다. 노래만 좀 할 줄 알고 시설의 노래방 기기에만 의존하는 강사는 매력이 없다. 악기를 다룰 줄 알고 수업과 분위기에 따라 효과적으로 사용하는 강사를 시설에서는 인정하고 대단하게 본다. 시간을 가지고 오케스트라 편성 악기를 배우면 더욱 좋지만 어려우면 하모니카, 오카리나 등 비교적 간단히 불 수 있는 악기를 연주할 수 있도록 준비하자. 강사로서 단기간에 활용하려면 우드스푼 정도는 능숙하게 익혀서 전문가처럼 활동하자.

◀ 긍정적이고 활발한 성격

'웃기는 강사가 우스운 강사는 아니다'라는 마음을 갖고 '내가 먼저 망가져야(?) 어르신들이 즐겁다'라고 생각하며 당당하고 때론 과감하게 수업과 분위기를 이끌어 나가자. 좋은 강사, 즉 인기 있는 강사가 되기 위해서는 제일 먼저 내가 행복해야 한다. 시니어들과 소통하기 위해서 웃음과 에너지를 충분히 장착하고 공급할 수 있어야 하기 때문이다.

◀ 호감을 주는 외관

시니어 강사는 정년이 없는 대신 경쟁력 있는 이미지 관리가 중요하다. 이미지 관리의 구성 요소는 용모와 복장을 포함한 몸짓 55%, 목소리의 톤이 38%, 말의 내용이 7%로 외적인 이미지와 목소리가 중요하다는 '메라비언의 법칙'을 참고하여 온화한 표정을 짓고 강사답게 보이도록 깔끔하게 입도록 하자.

◀ 겸손하고 건전한 인격

어르신을 공경하는 마음을 기본 마인드로 가지면 따뜻한 미소와 눈 맞춤, 존중하는 말투와 행동은 절로 나온다. 지금의 70-80대는 한국전쟁을 겪은 세대로 산업화를 이룩하고 나라를 부강시키기 위해 열심히 연구하고 일하며 청춘을 바친 세대다. 현재 대한민국이 잘 살게 된 것은 이분들의 노고와 헌신 때문임을 알고 감사하고 존경하는 마음을 늘 가지자. 진정한 실력자란 실력에 더해 품성을 갖춘 사람이라고 생각한다.

◀ 서로 돕는 마음

강사들은 활동을 할 때 직원들의 도움이 적절하게 필요한데, 적극적 참여를 이끌어 내려면 시니어들뿐만 아니라 도와주는 분들도 가끔은 더불어 칭찬해 준다. 직원들이 즐거우면 수업에 계속 적극적으로 참여하게 되고 먼저 요구를 안 해도 알아서 척척 도와준다.

◀ 지성이면 감천

음악수업을 통해 행복과 위안을 드리겠다는 마음으로 수업 내용을 연구하고 열정적으로 수업하면 시니어들뿐만 아니라 사회복지사나 요양보호사, 기관장 등 기관 종사자 모두가 즐거워한다. 그들에게 인정받고 소문이 나면 수업 요청이 끊이지 않는다. 내가 원하는 시설을 골라서 갈 수 있고 극진한 대우를 받을 수 있다.

〈시니어강사 교육현장〉

5. 일타강사의 구체적 스킬 대방출

모든 수업이 그러하듯 음악수업도 먼저 시니어라는 대상을 이해하고 그 대상의 특성에 맞도록 수업 내용의 질과 양과 속도를 정한다. 그리고 반응, 상황과 분위기에 따라 적절하게 조절한다.

★ 보통 강사들은 PPT 화면에 곡 하나를 가사만 띄우고 수업하는 경우가 많다. 나는 들어갈 때 인사곡, 때론 복습곡, 본 수업곡(+1 또는 활동), 마무리곡, (+정리타임곡) 이렇게 다이내믹하게 곡들을 변화시켜 지루할 틈 없이 열정적으로 수업한다.

★ 수업은 지루하지 않게 한 수업 당 2가지 테마로 하면 좋다. 예를 들면 노래+합주, 합주+댄스, 퀴즈+댄스 등이다. 노래는 절대 3번 이상 부르지 않는다. 2번 부르고 나면 시니어들이 힘들어지고 신선함과 집중력 모두 떨어지기 시작한다.

★ 키보드, 소고, 장구, 붐웨커, 우드스푼, 리듬막대, 톤챠임, 개별 공명실로폰, 하모니카 등 다양한 악기를 구비하여 수업 내용에 맞춰 가지고 다니며 효과적으로 사용한다. 수업의 질과 수준이 우수하면 시니어들도 만족한다.

★ 시니어들은 한 옥타브 낮춰 부르는 경우가 많기 때문에 강사가 음이 안 떨어지게 같이 불러주거나 멜로디언 등으로 연주해 주면 좋다. 강사는 곡의 가사를 완전히 외워서 편안하고 능숙하게 부를 수 있어야 한다.

★ 일반 성인을 대상으로 노래를 가르칠 때는 교정을 하지만 시니어를 대상으로 할 때는 가능한 교정하려고 지적하면 안 된다. 잘 하는 면을 보고 칭찬하고 격려하고 제안한다.

★ 내용과 태도가 모두 유치원생 다루듯이 낮으면 안 된다. 고학력, 전문직 출신 시니어들을 염두에 두어야 한다. 모두의 참여를 이끌어 내려면 수업 내용의 수준이 높아야 한다.

★ 한 곡을 부르고 잠깐 쉴 때 칭찬과 격려를 듬뿍해 준다. '쉬는 것'은 소통과 교감을 위한 것이라고 보면 된다. '쉬어 가면서' 부르지만 곡 자체를 느리게 불러서는 안 된다. 질문하면서 관심을 보여 주는 것도 좋다. 분위기를 읽는 세심함이 필요하다.

★ 마무리에 새 노래와 활동을 제시하고 다음번에 본격적으로 수업(나선형 학습법)을 하면 기대감도 가지게 하고 학습 능력 향상에도 도움이 된다. 예상 밖으로 시간이 남을 때도 유용하다.

★ 시니어들이 손과 발과 혀를 끊임없이 움직일 수 있게 도와주는 활동을 다양하게 넣는다. 유튜브 화면을 통해 한/의사들이 제공하는 의학정보를 살짝 보여주고 설명하면서 활동의 이유를 설명한다. 그러면 시니어의 최대 관심사가 건강이기 때문에 적극적으로 활동에 참여한다. 그리고 어르신의 건강까지 신경 쓰고 챙겨주는 '착한 우리 선생님' 이미지가 만들어진다.

★ 여러모로 PPT를 활용하면 유리하다. 음악퀴즈나 아무말 대잔치 혹은 노래를 부를 때에 필요한 자료를 PPT로 만들어 두고 재미있고 다양하게 사용하면 효과적이다. 컴퓨터를 전혀 못 다루면 수업에 한계가 있을 수 있다. 혼자 일하는 프리랜서는 시대 변화도 읽을 줄 알고 문명의 이기를 사용하는 슬기와 부지런함이 필요하다.

★ 장구와 소고 등 전통악기 다루는 법도 제대로 설명해 주고 활용하면 좋아하시고 수업의 질도 높아진다. 키보드로 연주하면서 함께 노래 부르면 분위기를 빠르게 원하는 방식으로 전환시킬 수 있다. 재즈 리듬으로 합주를 하면 음악적 흐름을 유지하면서도 매끄럽게 한 명 한 명 동참시키면서도 전체적으로 이끌어갈 수 있다. 특별한 날에는 색소폰 연주를 들려주어 즐거운 감상 시간을 갖는다.

★ 교회에서 운영하는 시니어 관련 시설들은 노래방 기기는 물론 피아노, 드럼, 장구, 소고까지 구비되어 있는 경우가 있지만, 대부분의 시설들이 노래방 기기 정도만 구비되어 있기 때문에 강사가 악기나 소품(접시, 칼라천, 백업봉 등)을 미리 준비해서 가지고 다녀야 한다. 소고, 리듬막대, 우드스푼, 톤챠임, 개별 공명실로폰과 백업봉은 시니어들의 합주와 활동을 위해 여러 개를 미리 구입하거나 만들어 두고 사용한다. 성의 있는 강사로 보일 것이다.

★ 생활 속에서 댄스(라인댄스, 차밍댄스, 워킹댄스)나 요가 등을 눈여겨 보고 몇 가지 포인트를 취하여 시니어들이 쉽게 접근하고 따라 할 수 있도록 개인적으로 재창작한다. 복잡한 율동은 따라 하기 어려우므로 연상법 댄스를 창의적으로 계발해서 효과적으로 사용한다.

★ 예상치 못한 상황에 늘 대비하여야 한다. 센터에서 TV가 고장이거나 전원이 나가는 등 준비한 활동을 할 수 없을 때를 대비해야 한다. 준비한 악기(색소폰)로 연주를 들려주어서 오히려 점수를 딴 경험이 있다. 준비성이 있는 전문가로 보일 것이다.

"수업이 지루하지 않고 너무 재미있어요~^^"

★ 센스 있게 곡과 활동을 선정한다. 특별한 날은 그날의 의미와 분위기에 맞는 노래를 선정한다. 1월 신년, 2월 설 연휴, 5월 어버이날, 9월 추석과 추수감사절, 12월 성탄절 등이 있다. 또 계절이 변하는 때에 계절의 느낌을 물씬 느낄 수 있도록 봄, 여름, 가을, 겨울 각 계절에 맞는 곡을 선정하면 신선함과 큰 즐거움을 주게 된다.

★ 첫인사/끝인사 나누는 시간을 최고로 활용한다. 긍정적이고 힘이 되는 오프닝 인사가 활기찬 수업을 여는 것처럼, 마무리 인사 또한 하루를 상쾌한 마음으로 지내게 하는 주요 포인트다. 말투는 부드러우면서도 높은 톤을 유지한다.

PART 2

시니어 수업을 이해하자

1. '시니어'는 어떤 사람?

시니어는 통상 우리가 알고 있는 노인을 의미하는데 일본에서 유래되어 불리는 실버(백발이란 뜻)라는 말보다는 연장자 혹은 어르신 느낌의 시니어 senior라는 말이 훨씬 좋은 것 같다.

일반적으로 공적연금의 수급 연령인 65세 이상을 노인으로 보고 있는데, 인간의 수명이 길어지면서 과거의 노인이 청년이 되는 놀라운 시대가 되었다. (UN이 재정립한 평생 연령 기준: 0-17세 미성년자, 18-65세 청년, 66-79세 중년, 80-99세 노년, 100세 이후 장수노인.)

한편 노인을 기능면에서 봤을 때 신체적으로 퇴화하고, 심리적인 면에서 정신 기능과 성격이 변화하며, 사회적인 면에서 지위와 역할이 상실되어 가고 있는 사람을 노인이라고 정의할 수 있다. 일반적으로 노인은 인지능력이 떨어지면서 우울증이 함께 찾아오는 경우가 많고, 의욕이 저하되며 '난 이제 쓸모없다'는 부정적 생각을 하는 노인들이 상당히 많다.

어쨌든 나이가 들면서 기능 감퇴와 적응 능력이 약화되어 간다는 일반적인 약점을 가지지만, 여전히 왕성한 사회적 욕구와 정서적 욕구를 지니고 있고, 노련함으로 잔존기능을 지혜롭게 활용하는 어르신들이 있다. 나는 이들을 존중하는 마음으로 '시니어 senior'라 부르며 그들의 욕구와 필요성을 파악하여 시니어를 돕는 강사로서 자부심을 느낀다. 여러 가지 활동 중에 음악을 중심으로 하는 활동은 가장 신나고 멋지며 보람되고 즐거운 일이라 생각한다. 시니어에게 발생하는 주요 문제점을 염두에 두고 그들을 이해하면서 활동을 기획하고 실행한다.

인지적 특성- 기억력 저하, 언어능력 빈약
정서적 특성- 부정적 자아개념, 낮은 학습동기

2. 시니어 수업이 일반 수업과 뭐가 달라?

시니어를 대상으로 하는 음악수업의 성격상 강사는 소리와 음악에 대한 기본적 이해가 필요하다. 소리의 3요소는 음고, 음색, 음량이고 음악의 3요소는 선율, 리듬, 템포다. 음악은 소리와 침묵의 복합이다. 음악은 악기와 단순한 소리를 활용하기도 하는데 리듬악기로 표현하는 것도 음악이다. 강사가 이러한 음악적 이해를 바탕으로 대상과 절기(혹은 시즌 season)를 고려하여 수업할 곡을 선정하고 활동을 창작해 나간다.

그러나 이 책의 초점과 활용은 일반 성인을 대상으로 하는 노래교실(트롯)이나 가곡, 팝송 수업에 있지 않다. 발성 연습을 시키고 곡을 해석하여 노래를 맛깔나게 기술적으로 잘 부르도록 도와주는 것이 아닌, 시니어의 특성을 감안한 음악수업이라 음악적 요소와 치료적 요소를 적절히 섞어 수업의 내용을 엮었다. 음악적 요소가 노래, 연주, 감상이라면 치료적 요소는 정서, 인지, 신체적 측면에서의 기능 유지와 향상에 초점을 둔 것이다.

3. 시니어는 음악 수업을 좋아해?! 필요해?!

음악은 시니어의 정서에 긍정적인 영향을 미치는데 노래를 외워 부르고 악기를 연주하고 춤을 추면 적극적으로 뇌를 사용하게 되고 복합적인 기억을 자극하는 효과가 있다. 또한 온몸을 사용하며 열정적으로 신나게 노래를 부른다면 신체의 실행 능력도 유지되고 덜 퇴화된다. 레크리에이션과 체조를 가미한 합창과 합주를 통해 시니어들 간에 동질감과 유대감을 형성하는 것도 가치 있는 일이다. 이렇게 음악 활동을 통해 정서적 안정감과 성취감, 만족감 등 말할 수 없는 행복감을 느낄 수 있다. 시니어 음악수업의 효과를 다음과 같이 정리할 수 있다.

음악을 통한 주의력, 기억력, 실행 기능 향상
음악의 각성효과(좋다/ 싫다/ 참 좋다/ 아~)

"집에 노인이 안 계시면 빌려 와서라도 모셔라" -그리스 속담-

4. 시니어 수업에 효과적인 악기들

'몸을 움직이는 것은 곧 뇌를 움직이는 것이다.'라고 믿기에 음악 수업에 노래 부르기만이 아닌 손유희를 포함한 여러 신체 활동과 악기 연주를 다양하게 포함하고 있다.

타악기 연주의 효과는 근력을 유지하고 혈액순환에 도움을 주는 것뿐만 아니라 운동감각을 담당하는 뇌부분을 활성화시키는 데도 도움이 된다. 특히 타악기 합주는 집중력을 요구해서 인지강화에 가장 탁월하다고 믿기에 수업 내용에 꼭 넣는다.

1인 1악기를 원칙으로 준비하는데 노인주간보호 센터에서는 합주를 하면 굉장히 뿌듯해한다. 요양원에서는 조금 힘들 수 있지만 상태가 좋은 분들이 계시고 요양보호사와 사회복지사가 도와준다면, 강사가 수준을 낮춰서 시도하면 '**된다**'.

〈진짜 유용한 합주용 악기〉

① **붐웨커**는 음정을 가진 무지개 색깔의 튜브로 각각의 색마다 고유한 음정을 가지고 있고 튜브가 짧을수록 고음을 내는 악기이다. 책상이나 바닥, 신체 등에 악기를 쳐서 소리를 낸다. 붐웨커는 음악적 능력이 없어도 상호 협력을 통해 함께 연주할 수 있는 이점이 있다. 말렛(스틱)이나 사물을 이용하거나 연주자의 몸을 쳐서 소리 내기도 한다.

② **핸드차임**은 손으로 흔들어 연주하는 차임을 말하며, 각각의 색마다 고유한 음정을 가지고 있고 관이 짧을수록 고음을 내는 악기이다. 금속으로 된 소리굽쇠 형태의 차임관에 차임을 두드릴 수 있도록 하는 비터를 단 악기로 차임관을 잡고 흔들면 비터가 관을 쳐서 특유의 아름다운 차임 소리가 나는 악기이다. 멜로디 차임이라고도 불린다. 소근육 운동과 인지활동에 탁월한 악기이다

③ **공명실로폰**은 공명 통을 가지고 있기 때문에 소리도 크고 울림이 있는 소리를 낸다. 각각의 색마다 고유한 음정을 가지고 있고 관이 짧을수록 고음을 내는 악기이다. 인지능력 향상과 협동심, 성취감 등을 느낄 수 있다. 색상별로 한 개씩 들고 여러 명이 협력하여 합주할 수 있다.

④ **마라카스**는 몸통 전체로 흔들어 소리를 내는 악기로 흔든다는 뜻의 셰이커(shaker)라 불린다. 원래 야자의 일종인데 그 열매를 말려서 굳어진 외피 속에 남은 씨알을 흔들어 소리를 내어 악기가 되었다. 모양은 다양하며 기본적으로 한 손에 하나씩 잡고 흔드는데 빠르게 흔들면 트레몰로 효과도 얻을 수 있다. 흔들기 외에 한 손에 하나만 잡고 다른 손의 손가락이나 손바닥, 주먹 등으로 쳐서 소리 내기도 한다.

"늙은 자의 아름다움은 백발이니라" -잠언 20: 29 하반절-

⑤ **소고**는 우리나라의 전통적인 타악기로 친근하며 상체운동이 되는 유익한 악기다. 엄지와 검지로 북의 몸체를 잡고 나머지 세 손가락으로 손잡이를 감싸 쥐어 사용한다. 민요 수업에 사용하면 흥이 절로 난다.

⑥ **리듬막대**는 2개의 리듬막대를 서로 부딪쳐서 소리를 내는 악기로 점점 세게 표현하기, 점점 작게 표현하기 등 다양한 활동이 가능하다. 노래를 부르면서 동시에 원을 그리며 두들기면서 노래를 부르면 엄청 흥겹고 분위기가 활기차게 변한다. 이를 나는 '리듬운동'이라고 부른다.

⑦ **우드스푼**은 스위스의 전통 민속 악기로 나무로 만든 스푼 2개가 서로 부딪치며 신나는 리듬을 만들어 내는 악기다. 나무 밥숟가락 두 개면 어떤 리듬이든 연주가 가능한 악기가 되어 '숟가락 난타' 퍼포먼스를 펼칠 수 있다.

⑧ **핸드벨**은 전통적으로 가죽으로 만들어졌으나 지금은 플라스틱으로 만들어지는 경우가 많다. 팔을 움직여 경첩이 달린 클래퍼가 종 내부를 치게 되어 있다. 핸드벨은 손으로 울리도록 만들어진 악기인데, 공명실로폰처럼 색상별로 음의 높이가 각각 다르다. 핸드벨을 울리려면 벨을 울리는 사람이 약간 유연하게 손잡이로 벨을 잡는다.

〈기타 구비해 놓으면 좋은 악기들〉

요즘 음악치료용 악기에 대한 관심이 많은 것 같아 부연 설명을 한다. 음악치료 악기라고 해서 특별히 치료용으로 주문 제작되는 것이 아니고 기존의 악기들을 음악치료 영역에서 응용하는 것이다. 여기에 제시되는 악기들은 시니어들이 10명 미만인 곳에 지혜롭게 활용하면 재미있게 수업할 수 있을 것이다. 다수 인원이 합주하는 악기로는 적합하지 않는데, 자칫 잘못하면 아수라장이 되고 성취감과 자존감을 떨어뜨리게 된다. 센터에서 악기들을 구비해 놓는다면 다양한 악기로 효과적으로 수업하는 것이 홍보되니 센터 입장에서 매우 유리하다.

음악치료에 많이 사용되는 악기들을 모양과 연주 방법에 따라 크게 구분하였다. 강사가 다루는 키보드, 기타, 색소폰 등을 제외하고 시니어들이 흥미를 가지고 다룰 수 있는 리듬악기 위주로 골라보았다.

* 드럼류: 개더링 드럼, 로그 드럼, 롤리팝 드럼, 스틸(텅) 드럼, 오션드럼, 젬베, 투바노, 패들 드럼, 핸드 드럼, 소고, 카혼 등
* 실로폰류: 계단 실로폰, 공명 실로폰 등
* 벨류: 라운드벨, 슬레이벨, 아고고벨, 터치벨, 핸드벨, 터치핸드벨, 카우벨 등
* 스틱류: 레인스틱, 리듬스틱, 징글스틱 등

* 셰이커류: 과일셰이커, 마라카스, 에그셰이커, 핑거에그셰이커,
치키타스, 카바사, 방울마라카스(손목) 등
* 블럭류: 멀티톤블럭, 우드블럭, 템플블럭(스탠드포함), 투톤 블록 등
* 기타: 귀로, 붐웨커, 우드스푼 등

악기의 선택은 치료의 목적이나 치료사의 적용 방법에 다른데, 음악치료용 악기사용의 예를 들면 다음과 같다.

* 에그쉐이커, 과일쉐이커: 노래에 맞춰 리듬을 표현하는데 용이함
* 드럼, 라운드벨, 우드블럭, 마라카스: 연주 방법이 다르고 소리가 이질적인 악기들로 구성하여 박자와 리듬을 표현하는데 용이하며 집중력과 합주를 통한 협동심을 도모함.
* 우드블럭, 투톤블럭: 블럭의 딱딱 끊어지는 소리의 특성을 이용하여 스타카토가 등장하는 노래에 해당 부분에 연주하도록 함으로 집중력과 인지 훈련에 용이함
* 마사지 손목방울, 우드스푼: 시니어들의 움직임이 많은 영역에 사용하며 지압 및 혈액순환 운동에 용이함
* 핸드벨, 터치벨, 공명실로폰, 핸드차임: 단체 합주에 용이하며 집중력과 인지 향상에 최상의 도움이 됨

"늙은 자에게는 지혜가 있고 장수하는 자에게는 명철이 있느니라" -욥기 12: 12-

PART 3

일타강사는 이렇게 수업한다

1. 일타강사가 진행하는 수업의 내용과 목표

다음의 네 가지를 내용과 목표로 삼고 수업하는데, 이 모든 음악적 활동을 통해 유대감과 공동체의식을 함양하고 안정감과 즐거움을 누리는 것이 최종 목표다.

첫째, 트롯 가요, 클래식, 가곡, 팝송 등 다양한 노래를 듣고 부르는 것을 통해 **기억력 유지와 향상** 및 **심리적 각성 효과**를 기대한다.
둘째, 백업봉, 리듬스틱 등 음악적 도구를 활용하여 음악에 맞춰 움직임(춤 포함)으로써 **일상생활의 동작을 향상**시킨다.
셋째, 우드스푼, 개별 공명실로폰, 톤차임 등 악기 연주를 통해 **주의력, 집중력 그리고 인지능력을 향상**시킨다.
넷째, 레크리에이션, 심리요법, 마사지, 체조, 퀴즈 등 다양한 활동을 융합하여 **흥미를 촉진**하고 **교육적 효과**를 높인다.

이 책을 읽고 연구하는 분들은 이 책의 내용에다가 계절에 맞는 곡들을 몇 곡 추가하면 1년 동안 사용할 수 있는 강의 계획안을 금세 뚝딱 만들 수 있을 것이다. 센터에서는 매월 강의 계획안을 내도록 요구하고 있다. 강사비가 보건복지부에서 나오

기 때문에 강사비를 주는 것과 관련해서 확실한 수업을 하고 있는지 감사해야 하기 때문이다

수업 내용을 구체적으로 범주화하면 다음과 같다. 댄스와 겸하는 음악, 웃음과 울음을 소재로 감정을 표현하고 조절하는 기능으로서의 음악, 레크리에이션을 접목한 음악, 개별 공명실로폰과 핸드챠임을 이용한 합주, 신곡 배우기와 음악 퀴즈를 넣은 노래교실, 그 때 그 추억을 회상하며 부르는 옛 음악교과서 즐기기, 우드스푼과 난타를 통한 리듬놀이와 악기연주, 음악마사지와 민요교실 등이다.

이러한 카테고리를 염두에 두고 어울리는 노래로 적절히 바꾼다면 수년을 한 센터에서 활동하는데 전혀 무리가 없을 것이다. 다들 지루해하지 않고 새로운 느낌으로 수업할 수 있다.

1-1 강사에게 유용한 악기 소개

① 누보피리

누보피리는 8개의 버튼식 리코더로, 낮은 '도'부터 높은 '도' 음까지 낼 수 있다. 한 옥타브의 위의 '솔'음까지 연주하려면 공기의 압력을 세게 해서 불면 표현이 가능하다.

단점은 다장조의 곡만 가능하다는 것인데, 운지법이 일반 리코더와 비슷하기 때문에 처음 접하는 사람도 쉽게 연주가 가능하다. 계이름 익히는 것이 쉽고 버튼식으로 되어있어 구멍을 다 막지 않아서 소리가 제대로 안 나는 스트레스가 없다.

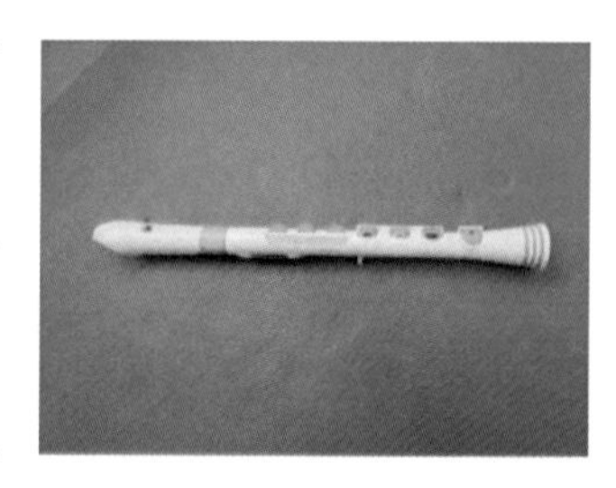

② 버튼식 오카리나

일반적인 오카리나는 전면 구멍이 총 8개다. 이 버튼식 오카리나는 전에는 구멍의 7개로 음역이 하나 빠졌지만 최근에는 8개의 버튼을 사용하여 낮은 '시'부터 한 옥타브의 위의 '미'음까지 연주할 수 있다. 단점은 다장조의 곡만 가능하다. 운지법이 일반 오카리나와 비슷하기 때문에 낯설지 않고 또한, 버튼이 색상 음정으로 되어있어 계이름 익히기가 좋다.

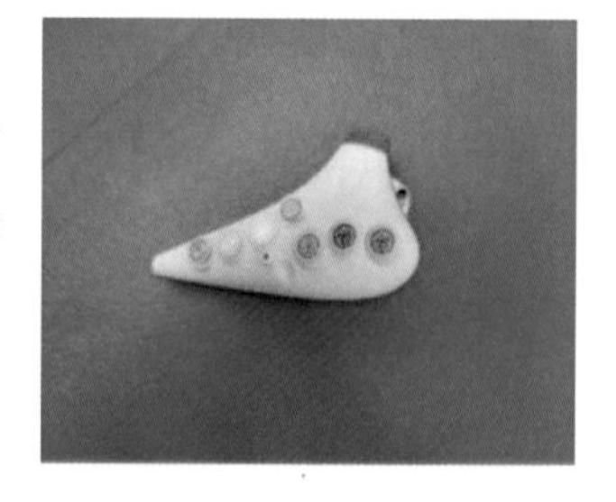

③ 소리내기 쉬운 단소(신단소)

기존의 단소를 불어보면 소리를 내기 위해 입술이 닿는 위치를 제대로 잡기가 어려운데, 이 신단소는 끼워진 돌기 부분에 입술에 갖다 대고 불면 바로 소리가 난다. 소재는 플라스틱으로 만들어졌으며 느낌이 리코더와 비슷하다.

악기를 불 때는 몸의 자세를 제대로 잡고 손가락 위치도 잘 맞춰서 해야 하는데 구멍을 막고 열면 '도레미솔라' 소리가 잘난다. 단소 음계: 솔라도레미(중임무황태)

④ 미니 에어로폰(AE-01)

일본산 전자악기로 익히 알고 있는 리코더와 비슷하며 버튼으로 되어 있어 쉽게 연주가 가능하다. 색소폰 등 6개 악기음이 내장되어 있다. 크기가 크지 않아 휴대가 쉽고, 그럴듯한 연주를 하고 싶으면 개인적으로 무선 마이크를 장착하면 된다. 색소폰 운지와 같은 에어로폰(AE-10)도 있다.

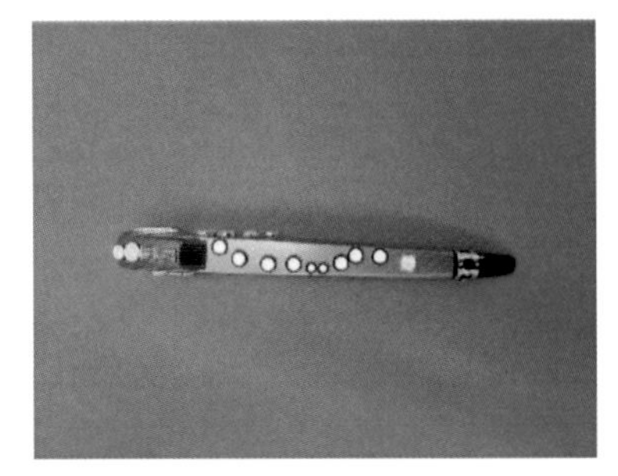

⑤ 키보드(전자올겐)

전자올겐도 종류가 다양한데, 일반적인 키보드는 자동반주 기능이 있으며 재즈Jazz를 포함하여 100여개의 리듬을 자유롭게 곡 분위기에 맞춰 선택할 수 있다.

강사가 원하는 화음과 리듬을 자유자재로 구사할 수 있다. 키보드의 오른쪽은 주로 멜로디와 애드립을 표현하며, 소리도 피아노, 트럼펫, 바이올린, 첼로, 기타 등 50여 가지의 악기 소리를 자유롭게 선택하여 연주할 수 있다.

자동반주 기능이란 것이 있는데, '도'만 누르면(아래 그림의 C음) 도미솔 화음으로 반주되는 것을 말한다. 코드를 알기는 아는데 잘 모르는 초보자들한테는 신세계라 할 수 있는 기능이다.

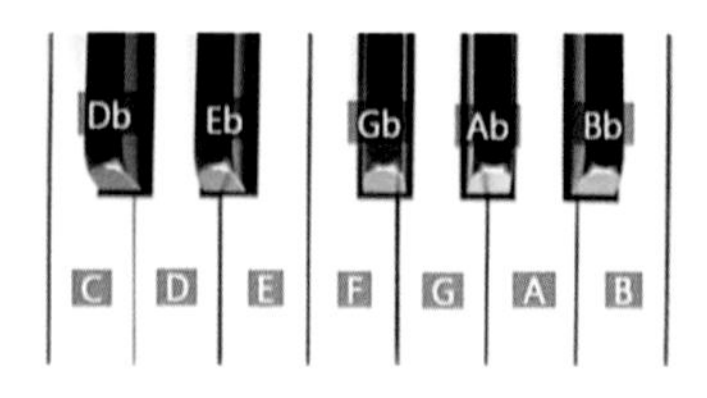

키보드는 강사가 직접 경쾌한 재즈리듬으로 반주하여 정확한 음정이 나올 때까지 기다려주며 연주할 수 있는 장점이 있다.

개인적으로 신디사이저(키보드의 업그레이드, 둘 다 77건반, 4-5백만원)를 좋아한다. 300여 가지 리듬을 구사할 수 있고, 원음에 가까워 각 트랙에 맞춰 오케스트라 표현도 가능하다. 생동감은 있지만 자체 앰프(스피커)가 없어 앰프를 가지고 다녀야 하는 단점이 있다. 요즘에는 앰프 내장형도 나오지만 무게가 무겁다. 키보드는 100만 원 미만의 가격으로 100여 가지 리듬이 가능하고 앰프가 내장되어 있다. 초보자의 경우는 건반 수가 적은 키보드(37건반, 15-40만 원)를 사서 가볍게 가지고 다니면서 연주하면 좋을 것이다.

강사는 여러 리듬을 선택하여 자유롭게 연주할 수 있는 이점이 있는 신디사이져나 키보드로 아리랑/도라지타령/닐리리야/발로차/오 필승 코리아 등 메들리로 빠르게 연주하면 더욱 흥이 나는 분위기를 만들 수 있다. 단시간 안에 사람들을 울게도 신나게도 하면서 대중의 감정을 압도하는 심리요법은 음악만이 줄 수 있는 마법과 같은 기능이다. 건반악기를 활용했을 때 효과적으로 분위기를 만들 수 있다. 키보드를 배우기를 권한다.

다음은 온 기관 사람들이 노래 부르고 응원하면서 흥겨워했던 수업으로, 기억에 남는 수업이라고 말들 했던 장면이다.
아리랑을 빠른 템포의 4박자 댄스에 맞춰 부르면서 응원 분위기로 이끌어 간다. 시니어들은 붐 악기로 리듬을 치며 부른다.

2002년 월드컵 응원가로
'국민 리듬'을 표현한다.
대~한민국!
백~세시대!
활~기차게!

1-2 강사에게 유용한 화음 지식

키보드 연주를 위한 기초지식으로 멜로디를 보고 화음(코드)을 이해하는 것이다. 멜로디에서 '솔'음을 본다면 1도화음의 도미솔, 5도화음의 솔시레에 솔이 들어가 있으므로 1도 혹은 5도 화음의 근음을 건반으로 눌러 주면 된다. 즉 C나 G코드를 선택해 주면 되는데, 선택은 곡의 진행과 분위기에 따라 결정된다.

주요 3화음(1, 4, 5도)으로 연주해도 모든 동요와 트롯 가요들을 연주할 수 있다. 강사가 부 3화음을 써서 연주하면 화려하고 새롭고 풍성한 음악을 만들 수 있지만, 노래나 합주 시 주요 3화음으로도 충분하다. 동요에 부 3화음을 쓰면 멜로디만 분명하게 들리는 것이 아니어서 아이들이 제대로 따라 부르기 쉽지 않아 사용하지 않는 것과 같다. 동요는 조만 다르고 1-4-5-1도로 끝난다.

나의 살던 고향 은 꽃피는 산 골
C *F* C C *G*
복숭 아 꽃 살구 꽃 아기 진달 래
C G *F* C *G* *C*
울긋 불긋 꽃 대궐 차리인 동 네
G C G F G
그 속 에서 놀던 때가 그립 습니 다.
C G *F* C *G* *C*

〈보편적인 코드 진행에 관하여〉

거의 모든 곡의 진행은 메이저(장조) 키와 마이너(단조) 키 모두 1도 - 4도 -5도 코드 진행이 기본이다. 그래서 거의 대부분 1도로 시작하고 1도로 끝나게 되는 것이고 중간중간 4마디, 8마디 단위로도 이런 진행이 반복되는 것이다. 동요나 비교적 간단한 노래들은 거의 이러한 진행으로 반복되지만 트롯 가요나 CCM 곡의 실제 악보를 보면 1도, 4도, 5도 코드 외에 다른 코드가 많이 사용되는 것을 볼 수 있다. 그러다 보니 곡 분석에 어려움이 있는 것은 사실이다.

한 예로 가장 흔한 메이저(장조) 키의 코드 진행은 다음과 같다. C코드(1도) - Am코드(6도) - Dm코드(2도) - G7코드(5도) - C코드(1도) 진행이 엄청나게 많이 사용된다. 웬만한 곡 반주는 위와 같은 코드로 진행되므로 이것만 이해하고 쳐도 크게 무리가 없을 것이다. C코드, F코드, G코드(주요 3화음) 외에 Dm코드(2도)와 Am코드(6도)는 다장조 음악의 부3화음에 해당되며, 화성학 공식에 의한 것이다

C코드(1도), F(4도), G(5도화음)

2. 설레는 수업의 첫 단계

2-1 수업 준비(도입부)

수업은 크게 네 부분으로 이루어진다. 지난 수업을 상기시키며 몸을 푸는 '수업 준비' - 본 차시에 해당하는 새로운 음악 수업 활동 - 복습 - 정리 이렇게 이루어진다.

치매는 경증이든 중증이든 장기기억에 강한 경향이 있는데, 시니어들은 많은 사람들이 바로 전 주에 학습한 것은 잘 기억 못 해도 한 달 전의 것은 기억해 낼 수 있는 특징이 있다. 그래서 지난주 수업 내용을 다시 다뤄도 시니어들은 반가워하고 재미있어 한다.

첫 도입부 5분이 전체 1시간 분위기를 결정하기 때문에 중요하다. 먼저 인사 후 지난번에 했던 것 중에서 재미있었던 부분을 10분 정도 복습한다. 몸을 푸는 의미로 하는데 단 15분을 넘기면 안 된다. 그 후에 오늘 수업의 내용을 소개한다.

다음의 제시되는 활동들이 주단기 센터에서는 성취감도 있고 아주 적합한 활동이다. 요양원의 경우는 수준을 낮춰서 다시 창작하거나 즐겨 부르는 노래들로 단순하게 계획하여 운영하면 될 것이다.

먼저 수업을 하기 전에 다음과 같은 학습 목표를 제시한다. "오늘은 지난번에 익힌 색상 음계를 보며 합주를 할 겁니다. 그리고 음악퀴즈를 낼 거예요" "노래에 맞춰 지압 박수를 익히고 톤챠임과 공명실로폰으로 합주를 할 거예요" "오늘은 소고치는 방법을 배우고 '노들강변'에 맞춰 소고춤을 출 거예요" "오늘은 몸타랑 젓가락 리듬놀이를 해 볼 거예요" "오늘은 시니어 탭댄스와 로봇춤을 배워 볼 겁니다"

위와 같이 두세 가지의 학습목표를 제시함으로 오늘 수업을 기대하도록 하자. 시니어들이 기대를 가지고 집중하게 되면 일단 성공이다.

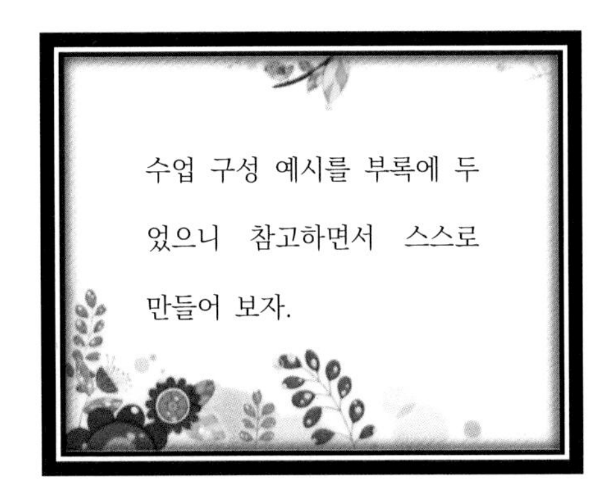

안녕 안녕하세요. 다시 만나 반가워요.
저는 음악인지치료사 인사드려요~
안녕 안녕하세요. 다시 만나 반가워요.
우리 서로 바라보며 사랑 나눠요~
여기는 우리의 행복센터예요
지금은 (음악) 시간입니다
다 함께 노래해 랄랄라라~
즐겁게 노래해 랄랄라라~

도도도도도도 빨간색 레레레레레레 주황색
미미미미미미 노란색 파는 초록색
도도도도도도 빨간색 레레레레레레 주황색
미미미미미미 노란색 파는 초록색
솔-은 하늘색 라-는 파란색
시-는 보라색 입니-다.
다 함께 합주해 랄랄라라~
즐겁게 합주해 랄랄라라~

2-2 노래로 첫인사를

우리가 익히 들어 알고 있는 '연가'를 개사하여 부른다. 2절은 색상과 음정을 익혀 합주를 하기 위한 것으로 한 달이면 다 익힌다. 센터마다 차이가 있음으로 계속 반복하여 부른다. 색상 음계는 전 세계 공통 음계라고 먼저 설명을 해 준다. 연가 교가를 처음 시작곡으로 선택해야 합주를 들어가기 위한 준비가 될 수 있다.

수업을 시작하는 첫인사 노래는 서너 곡을 준비하여 분위기와 절기, 본 수업 내용과의 관련성 등을 고려하여 변화 있게 운용한다. 쉬운 방법은, 바로 지난주에 배운 것을 오늘 수업의 복습 과정에 넣고 그전에 배웠던 것들 중에 하나를 시작곡(오프닝)으로 하는 것이다.

도	레	미	파	솔	라	시

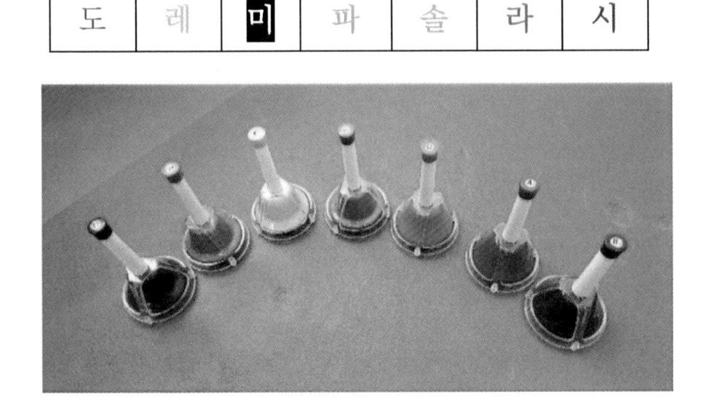

2-3 체조로 인사해요

'사랑에 푹 빠졌나 봐'(현철 노래, 박현진 작곡)로 신나게 수업을 시작해 보자. 어느 한의사의 〈뭉친 어깨와 등 통증 해결 방법〉을 응용한 것으로 간단한 체조를 하면서 인사하는 방법이다. 공휴일이나 기타 사정으로 기관에 소수의 시니어들이 있을 경우에는 모차르트의 소나타 등으로 조용히 시작할 때도 있다. 매번 시끄럽고 요란하게 시작할 필요는 없다.

노래를 틀고 먼저 "어르신들! 안녕하세요~~" 인사하며 시작한다. 강사의 밝고 힘찬 음성이 분위기를 활력 있게 만든다.

1. 팔을 앞으로 뻗는다.
2. 손을 안쪽으로 돌리면서 "안녕" 여러 번 반복한다.
3. 팔을 최대한 위로 든 다음 "안녕" 여러 번 반복한다.
4. 양팔을 최대한 옆으로 벌려서 "안녕" 여러 번 반복한다.
5. 팔을 옆으로 해서 팔꿈치를 붙이고 손을 바깥쪽으로 돌리고 손바닥을 위로 올라오게 한 후 세수한다.

* 반드시 모든 동작에 리듬을 탄다.
손뼉을 치면서 노래하는 등 변화도 주어야 한다.

건강 지압 댄스

홍시믹스(나훈아)

또 다른 분위기의 인사 노래인데, 막춤(바지올려/겨드랑이/찔러 등)과 함께 부르면서 신체 각 부분을 마시지한다. 엄지척을 하고 팔을 벌려 등 뒤로 리듬을 타며 제끼면 엄청 시원하여 좋아한다. 마지막 크게 원을 그리며 숨쉬기한다. "눈이 침침하다 -손끝지압" 이렇게 말하면서 양손의 손가락 끝을 마주보고 두드리며 지압한다.

- "눈이 침침하다 - 손끝지압"
- "척추허리 튼튼 - 손등박수"
- "방광을 튼튼하게 - 손목박수"
- "신장 튼튼 - 손바닥하늘향해 박수"
- "어깨/만성두통 - 주먹박수"
- "피부가 젊어지는 - 귀마사지"
- "치매예방 - 계란박수"
- "뇌가 젊어지는 - 머리 두드리기"
- "심장과 폐 튼튼 - 주먹보박수"
- "뇌 튼튼 - 양손 손가락 사이사이에 맞게 끼는 박수"

'손가락하트(노지훈 노래)'로 손가락 댄스를 추어 보자. 전주는 기타리스트 흉내를 낸다. 손가락하트를 사방으로 날린다. 오른손과 왼손으로 하트를 만들어 한 쪽(1/2)을 떼어 아래로(허리) 내렸다 붙이고 방향을 바꾼다. 양손 깍지 박수를 한다. 한쪽 손날로 다른 손 손가락 사이를 벌려 때리듯이 한다. 곡 마지막은 머리 위 큰 하트로 마무리한다.

3. 신나는 수업의 실제

3-1 생활댄스

음대에 가면 '음악 감상'이라는 이론이 있다. 음악을 감상하는 방법 중 가장 좋은 방법은 연상법인데, 뇌로 스케치하는 것이다. 즉 뇌 운동이 되는 셈이다. 율동, 댄스나 체조, 노래 배우기에 가장 좋은 방법도 연상법이다.

센터에 오신 시니어들이 치매 초기 판정을 받고 오신 분들이 많기 때문에 활동 중에 규칙, 순서를 과하게 반복한다면, 점점 어렵게 느껴지고 집중력이 떨어져 결국 지루하게 느끼게 된다. 그래서 규칙과 질서로 정형화되어 있는 표현은 가능한 줄이고, 연상하면서 표현할 수 있는 인체 리듬을 활용하여 활동을 계획하였다. 따라 하기도 쉽고 웃기기도 해서 재미있어 하신다. 시니어들도 웃게 만들어야 집중을 잘 한다.

생활(속 연상)댄스란 일상 동작들을 댄스화한 것으로, 우리 시니어들도 라인댄스, 차밍댄스, 요가, 워킹댄스 등을 할 수 있다는 자신감을 부여하려고 여러 댄스들을 눈여겨보면서 포인트만을 접목하여 시니어들이 쉽게 접근하고 따라 할 수 있도록 개인적으로 재창작한 것이다.

갈매기 요가 댄스 기장 갈매기

나훈아의 최신곡 '기장 갈매기'(나훈아 작사/작곡)에 맞춰 요가 동작을 해 보자. 전주와 간주 부분은 크게 원을 그리며 기를 모아 복식호흡을 한 후에 노래가 나오면 1단계로 들어간다.

1. 오른발부터 옆으로 갔다가 제자리로 온다. (각각 4회)
2. 무릎 한번 - 손뼉 한번 -엄지 척 2번 (4회)
3. 양손을 동시에 앞으로 뻗어 16번 손등 박수를 친다.
4. 양손을 동시에 위로 뻗어 16번 손등 박수를 친다.
   ("가버리면 그만인 거야"까지) -
5. 다음 종이를 찢듯이 오른쪽부터 점점 넓게 날갯짓을 한다. (오른쪽, 왼쪽 각 3회씩)
6. 양 손목을 교차하여 새의 날개 모양을 만들어 오른쪽부터 8번씩 날갯짓을 하며 점점 위로 올라간다. (새끼 갈매기 비유)

* 전주 1-2-3-4-5-6 간주 -1-2-5-6 숨쉬기 운동

POP-PIN 댄스(로봇춤) 쨍하고 해 뜰 날

준비물: 플라스틱 접시

'쨍하고 해 뜰 날'(송대관 노래, 신대성 작곡)을 부르며 내가 오늘은 오케스트라에서 '심벌(접시) 주자'가 되어 보자. 연주 중에 목이 말라 물을 마시고 좋아서 막춤을 추는 표현을 한다. 생소한 춤을 추어보는 신선한 맛이 있어서인지 엄청 재미있어하신다.

1. 플라스틱 접시를 양손에 쥔다.
2. 물 마시는 동작을 부분 동작으로 끊어서 한다. (2회)
3. 노래에서 "쨍"만 들어가면 양손에 든 심벌을 친다.
4. 로봇은 좋아서 막춤을 부분 동작으로 끊어서 춘다.
5. 접시 두 개를 포개어 가슴 앞에 두다가 오른손과 왼손에 든 접시를 번갈아 앞으로 내밀며 로봇처럼 동작한다.

좌식 탭댄스　　　이마트 로고송

"자, 이 음악 어디서 많이 들었던 거죠? 어디서 들었을까요?" 귀에 익은 이마트 로고송을 들으며 다리 운동을 해보자. 탭댄스에서 앞꿈치를 '볼'이라고 하고 뒤꿈치를 '힐'이라고 한다. 발바닥 전체는 '스텝'이다. 쉽게 잘 따라 하신다.

1. 오른쪽 발부터 볼 - 힐 그다음 왼쪽 발의 볼 - 힐 순으로 바닥을 힘주어 친다.
2. 오른쪽 발 스텝과 왼쪽 발 스텝을 한 번씩 친다.
3. 이마트 로고송 노래에 맞춰
   오른쪽 볼 - 휠 - 왼쪽 볼 - 힐
   오른쪽 스텝 - 왼쪽 스텝 순으로 밟는다.
   (리듬: 따따 따따 딴 딴 = 딸기 딸기 배 배) 3-4

* 볼과 힐의 순서를 바꾸어 가면서 변화를 준다.

추억의 에어로빅 내가(미스터 팡)

신나는 곡에 맞춰 운동량이 많은 전통 에어로빅을 응용하여 즐겨보자. (곡: 김학래 작사/작곡)

1. V스텝을 걸으며 두 팔을 힘차게 흔든다.
2. V스텝을 거꾸로 하여 두 팔을 힘차게 흔들며 걷는다.
3. 골반을 앞뒤로 움직이며 양팔은 벌려 힘차게 튕긴다.
4. 골반을 앞뒤로 움직이며 양팔은 대각선으로 벌려 힘차게 튕긴다.
5. 골반을 앞뒤로 움직이며 양팔은 반대의 대각선으로 벌려 힘차게 튕긴다.
6. 골반을 앞뒤로 움직이며 양팔은 위와 좌우로 벌려 힘차게 튕긴다.
7. 골반을 앞뒤로 움직이고 가슴을 내밀며 근육 운동을 하듯이 튕긴다.
8. 골반을 앞뒤로 움직이고 양팔은 벌려서 위아래로 크게 원을 그리며 회전하듯이 힘차게 끊어 튕긴다.

* 1-2-3-4-5-6-7-8-1-2-3-4-5-6-7-8 반복한다.

* 서기 힘든 경우 1, 2번 생략. 앉아서 두 팔을 힘차게 흔든다.

으쪼으쩌 댄스 사랑찾아 인생찾아

현대판 나이트클럽 댄스로 손이 가는 대로 추는 막춤이다. 음악(조항조 노래, 엄기엽 작곡)이 신나기도 하고 제스처가 웃기고 엄청 쉬워서 웃으면서 하신다. 발로 차는 제기(술)를 흔들면서 해도 좋다.

1. 간간이 "으쪼으쩌" 하며 현대판 추임새를 하며 손이 가는 대로 추는 막춤이다.
2. 손이 가는 대로 추되 골반을 빠른 리듬에 따라 앞뒤로 움직여야 한다.
3. 상체를 여러 번 바운스 하기도 한다.
4. 제기를 상하좌우로 리듬에 맞게 흔든다.

* 추임새를 넣는 것이 포인트. 으쑈으쑈라고 해도 재미있다.
시니어들의 혀를 움직이게 하는 것이 중요하니 강조해 주자.

악기 연주 댄스〈지휘 활동 1〉

고향역

준비물: 나무젓가락

노래(나훈아 노래, 임종수 작곡)를 부르며 오케스트라 악기를 상상하면서 연주를 흉내 낸다. 강사가 '지휘자!'하고 부르면서 지휘하는 모습을 흉내 내고 '신나게 드럼 쳐요!'하면서 드럼 치는 흉내를 낸다. 어깨를 으쓰으쓱하면서 즐겁고 신나게 따라 하신다. 젓가락을 지휘봉으로 쓰고 마지막은 지휘로 끝낸다.

지휘자 - 드럼 - 색소폰 - 피아노 -트롬본 - 바이올린 - 베이스 기타 등

〈지휘 활동 2〉 봄날은 간다

준비물: 젓가락

4박자이지만 2박자로 지휘할 것.

오- 오른손으로 지휘

왼- 왼손으로 지휘

양- 양손으로 지휘

오 - 연분홍 치마가 봄바람에 휘날리더라

왼 - 오늘도 옷고름 씹어 가며

양 - 산 제비 넘나드는 성황당 길에

꽃이 피면 (4번 허공 치기) 같이 웃고 (4번 허공 치기)

꽃이 지면 (4번 허공 치기) 같이 울던 (4번 허공 치기)

양 - 알뜰한 그 맹세에 봄날은 간다

오 - 새파란 꽃잎이 물에 떠서 흘러가더라

왼 - 오늘도 꽃 편지 내던지며

양 - 청노새 짤랑대는 역마차 길에

별이 뜨면 (4번) 서로 웃고 (4번 허공 치기)

별이 지면 (4번) 서로 울던 (4번 허공 치기)

양 - 실없는 그 기약에 봄날은 간다

(곡: 백설희 노래, 박시훈 작곡)

화장 팬터마임 누이

때론 강사가 우스꽝스럽게 적당히 망가져야(?) 어르신들이 즐겁다. 먼저 마임이 뭔지 알려준다. "제가 무슨 행동을 하는지 큰 소리로 말씀해 보세요~" 적극적으로 답하실 때면 "브라보!"

1. 거울을 그린다. (크게)
2. 거울을 닦는다. (꼼꼼하게)
3. 머리 손질을 한다. (흰머리도 뽑는다.)
4. 눈썹을 그린다. (리얼하게)
5. 눈 화장을 한다. (깜빡거리며 리얼하게)
6. 화장품을 찍어 바른다.
7. 립스틱을 바른다.

"이 세상에서 가장 사랑하는 나의 사랑을 만나러 갑니다."
"'누이'(설운도 노래/작곡) 곡에 맞춰 화장을 할 거예요."
노래가 시작되면 함께 부르면서 마임의 동작을 하나씩 한다.
시니어들이 재미있어하신다.

조항조의 '고맙소'를 들으며 흔들의자에서 앉아 뜨개질하고 신문을 읽는 마임도 해 보자. 골반운동도 함께 해야 제맛이다.

요리 댄스(나루토 춤의 변형) 일소강호

유행하는 나루토 춤을 중국집 요리사가 되었다 상상하며 일소강호(一笑江湖(Yīxiàojiānghú): 강호의 미소) 음악에 맞춰 춤을 추어보자.

1. 현란한 칼 솜씨를 선보인다.
   (왼쪽 팔이 도마이며 오른손 날이 칼이다)
2. 현란한 밀가루 반죽 치기와 자장면 뽑기
   (좌/우/위로 길게)
3. 조리대에 (수타)면을 쳐서 뽑는 시늉을 한다.
4. 팍팍팍 수제비 넣기
   (왼손을 쫙 펴서 오른손으로 반죽된 밀가루를 얇게 떠서 뜨거운 솥에 현란하게 넣는다)
5. 양쪽 손목을 붙여서 아래 위로 현란하게 돌리기

* 음악이 끝날 때까지 양쪽 다리는 엄지발가락에만 힘을 주고 뒤꿈치는 들어서 좌우로 움직인다. 나루토춤의 포인트다.

* 1-2-3-4-5-1-2-3-4-5를 반복한다. 마지막 부분은 크게 원을 그리며 숨쉬기로 마무리한다

짝꿍 댄스 　　　　내 나이가 어때서(디스코)

서로 마주 보고 (시설에 따라서는 떨어져 앉아서 마주하여) 짝꿍 댄스를 추어 보자. 강사를 향해서 해도 좋다. 반드시 신나는 디스코 버전(오승근 노래, 정기수 작곡)으로 선택한다.

1. 박수 두 번 치고 오른손으로 상대방 왼손 두 번 치기
   (하나 둘 셋 넷)
2. 박수 두 번 치고 왼손으로 상대방 오른손 두 번 치기
   (둘 둘 셋 넷)
3. 박수 두 번 치고 양손으로 상대방 양손 두 번 치기
   (셋 둘 셋 넷)
4. 양손으로 아령 들듯이 리듬 타기
   (넷 둘 셋 넷)
5. 눈으로 왼쪽 어깨를 보며 4회 튕기기 (하나 둘 셋 넷)
6. 눈으로 오른쪽 어깨를 보며 4회 튕기기 (둘 둘 셋 넷)
7. 오른발 4회 동동동동 (셋 둘 셋 넷)
8. 왼발 4회 동동동동 (넷 둘 셋 넷)

* 1-2-3-4-5-6-7-8 반복

* 전주나 간주 부분은 리듬을 타며 걷기

마라카스 댄스 　　　사랑의 트위스트

준비물: 마라카스 (혹은 에그셰이커)

다들 익히 알고 있는 곡(설운도 노래/작곡)이라 쉽게 따라 부르면서 즐겁게 할 수 있다. 동작이 단순하고 쉬워서 요양원에 적합한 활동이다. 인원이 적은 곳이나 연령이 높은 곳에서 마라카스나 에그셰이커로 하면 좋다.

1. 위에서 마라카스를 흔들어 소리를 낸다.
2. 아래에서 흔들어 소리를 낸다.
3. 오른쪽에서 흔들어 소리를 낸다.
4. 왼쪽에서 흔들어 소리를 낸다.
5. "상하이상하이 트위스트 추면서~" 부터는 오른손과 왼손을 번갈아 가며 앞으로 내밀며 트위스트 춤을 춘다. 　　* 노래가 끝날 때까지 4회 반복

인지능력 향상을 위해 위아래로 흔드는 것을 1번, 좌우로 흔드는 것을 2번이라고 인지시키고 하자. '기타부기'(윤일로 노래, 이재현 작곡)를 부르며 해도 좋은데, 한 프레이즈당 강사가 1번! 하면 위아래로, 2번! 하면 좌우로 흔든다. '춤을 춥시다~' 가사가 나오면 춤을 춘다.

핸드 댄스 　　　　　　　　　　　　남행열차

손 운동도 되고 인지훈련도 되는 핸드댄스를 해 보자. 강사의 요구에 따라 오른손, 왼손을 각각 반대로 느리게 움직여야 한다.

(곡: 진 성 노래, 최강산 작곡)

강사	시니어
1. 앞으로 손 깜빡깜빡	뒤로 깜빡깜빡
2. 손등 보이게 흔들면	손바닥 보이게 흔들기
3. 후라이 박수(왼손 위)	(오른손 위)
4. 후라이 박수(오른손 위)	(왼손 위)

* 후라이 박수란 소리가 안 나는 박수지만 춤을 추듯 리듬을 타야 한다. 1-2-3-4-1-2-3-4를 반복한다.

다이아몬드 핸드스텝 나이야 가라

'나이야 가라'(김용임 노래, 류원광 작곡)를 부르며 다이아몬드 스텝을 응용한 핸드스텝 댄스를 추어 보자. 리듬을 타며 온 몸을 흔드는 게 포인트.

1. 머리 위에서 손뼉 8번, 왼쪽에서 손뼉 8번
   오른쪽에서 손뼉 8번, 배꼽 앞쪽에서 손뼉 8번
2. <u>리듬을 타며 양손으로 X자를 8번 크게 긋기</u>
3. 머리 위에서 손뼉 4번, 왼쪽에서 손뼉 4번
   오른쪽에서 손뼉 4번, 배꼽 앞쪽에서 손뼉 4번
4. <u>리듬을 타며 양손으로 X자를 8번 크게 긋기</u>
5. 머리 위에서 손뼉 2번, 왼쪽에서 손뼉 2번
   오른쪽에서 손뼉 2번, 배꼽 앞쪽에서 손뼉 2번
6. <u>리듬을 타며 양손으로 X자를 8번 크게 긋기</u>
7. 머리 위에서 손뼉 1번, 왼쪽에서 손뼉 1번
   오른쪽에서 손뼉 1번, 배꼽 앞쪽에서 손뼉 1번
8. <u>리듬을 타며 양손으로 X자를 8번 크게 긋기</u>

* 1-2-3-4-5-6-7-8 반복
* 전주나 간주 부분은 리듬을 타며 막춤

단어 인지 댄스 보약 같은 친구

'보약 같은 친구'(진시몬 노래/작사/작곡)를 부르며 단어 인지 놀이를 해 보자. 내가 가장 갖고 싶은 것 네 가지를 물어본다. 여러 가지 중에서 머리를 '돈', 가슴을 '사랑', 배를 '건강', 다리를 '행복'으로 정한다.

1단계: 두 번씩 인체 부위를 터치하면서 신체 명칭을 외치고 손뼉을 두 번 친다. (예: 머리를 터치하며 머리 머리 명칭을 크게 외치면서 한다. 가슴-배-다리 순으로 한다.)

2단계: 두 번씩 인체부위를 터치하면서 갖고 싶은 것을 말하고 손뼉을 두 번 친다. (예: 머리를 터치하며 돈 돈 외친다. 가슴 터치하며 사랑 사랑 한다.)

3단계: 강사가 인체부위를 맘대로 터치하면 시니어들은 각각 부위에 맞는 단어를 크게 외친다. 강사가 머리를 터치하면 "돈"은 확실히 외칠 것이다.

4단계: 노래를 부르다가 긴 박자의 가사에서 강사가 배를 4번 치면 시니어들이 '건강'을 외친다. 머리를 만지면 시니어들이 큰 소리로 돈! 하고 외친다. 재미있다.
'~면, ~는, ~야, ~람… ~아, ~고, ~지, ~라…'

* 전주나 간주 부분에서는 리듬을 타며 손뼉을 친다.

누드씨벌 댄스   사랑은 나비인가 봐

'사랑은 나비인가 봐' 테너 색소폰 MR을 들으며 몸풀기 체조를 하고 그 후에 노래를 함께 불러보자.

1. 누- **눌**러!
   양손으로 꽉꽉 리듬을 타며 누르기(푸시업 형태로)
2. 드- **들**어!
   손바닥이 하늘로 향하여 웨이터가 쟁반을 드는 것처럼 하며 리듬을 타기. 바운스 바운스~
3. 씨- **씨**앗 뿌려!
   오른손 또 왼손으로 각각 리듬을 타며 씨 뿌리기 모양으로 팔 흔들기
4. 벌- **벌**려!
   손등이 하늘로 향하고 리듬을 타며 고무줄을 늘이는 것처럼 두 팔을 벌리기
   허리와 등을 쫙 펴서 스트레칭이 되도록 한다.

* 1-2-3-4 반복
* 전주나 간주 부분은 리듬을 타며 겨드랑이 춤을 춘다.
* 이어서 '줄리야' 곡으로 더욱 신나게 추어도 좋다.

거북이 댄스

동물의 사육제(거북이)

프랑스 작곡가 생상스의 동물의 사육제 중에서 거북이를 감상하며 느림보 거북이처럼 '엉금엉금' 흉내를 내며 세상에서 가장 느린 거북이 댄스를 추어 보자.

음악을 들으며 분위기 맞춰 느림보 거북이를 흉내 내어 보자. 바다에서 수영하는 모습, 육지에 올라올 때, 올라와서 걷는 모습, 좌우 살피는 모습 등을 흉내 낸다. 천천히 고개 돌려 스트레칭으로 전환한다.

느림보 거북이가 춤을 춘다면 어떻게 출까 물어보자. 느린 허리 돌리기, 느린 배영 등 다양하게 나올 것이다.

3-2 음악 레크리에이션

강사와 시니어 간에 혹은 시니어들 사이에 상호작용이 많은 밝고 역동적인 수업 시간이 되기를 바란다면 레크리에이션을 가미한 수업을 구상하면 된다.

음악 레크리에이션은 개별적인 활동이 주가 되는 센터에서의 생활에서 공동체성과 유대감을 향상시키고 여러 가지로 자극과 재미를 주기 위해서 한다. 놀이를 위해 협력을 해야 하는 경우가 많기 때문에 시니어들이 서로 웃고 말을 걸거나 도와주거나 눈짓으로 차례를 일러주는 등 상호작용이 많이 일어난다. 요양보호사나 사회복지사(혹은 간호사까지, 재미있어서)도 진행하는데 적극적으로 도와주어서 시니어들에게는 활기찬 시간이 된다.

시니어들이 좋아하는 곡이라면 분위기를 보면서 두 번씩 부르며 레크리에이션 종류를 섞어서 해도 좋다. 충분히 여유를 가지고 즐기면서 하자.

1. 수건돌리기

익숙한 경쾌한 곡이나 동요 메들리를 부르면서 수건을 옆 사람에게 돌린다. 노래가 끝날 때 수건을 잡고 있는 사람이 벌칙을 받는다. 인원수에 따라 수건을 4까지 늘려서 사용한다. '남행열차'를 부르며 우드스푼/백업봉으로 박자 치기(8에서 16비트로 빠르게 치면서/단 첫 박에 강세를 주고 긴 박자에서만 표현)를 하다가 수건돌리기 게임으로 넘어가면 자연스럽다.

2. 끝말잇기

노래를 부르다가 강사가 노래를 갑자기 끊는다. 마지막 들은 끝 단어의 처음 혹은 끝음절을 가지고 계속 이어가는 놀이다. 가사에 집중하게 되어 기억력, 인지력 향상에 도움이 된다. 시니어들에게 돌아가며 물어 단어를 이어서 연결하게 한다. 단체로 답하게 할 수도 있다. 소풍 가는 인생, 사랑에 푹 빠졌나 봐, 청춘을 돌려다오 등 4/4박자 갖춘 마디의 곡으로 선정하면 좋다.

3. 쟁반노래방 게임

익숙한 트롯(디스코 버전)을 선택해 부른 후에, 2~3명을 뽑아 앞에 나와서 가사를 보지 않고 한 소절씩 부르게 한다. 강사는 앞에서 입모양으로 알려주거나 같이 불러 성취감 느끼게 한다. 마이크를 잡고 열창하는 분들이 계셔서 분위기가 뜨겁다.

(노래방 놀이: 팀을 나눠 노래를 듣다가 갑자기 멈추고 다음 소절을 물어본다. 시니어들이 답하면 다시 이어서 들으며 노래를 부른다.)

단체 가위바위보 게임

가위바위보(댄스곡)

신나는 터보트로닉의 '가위바위보'를 들으며 가위바위보 댄스를 하면서 단체 가위바위보 게임을 해 보자. 권수연의 '가위바위보'에 맞춰서 해도 좋다.

1. 가위바위보 댄스를 한다(묵찌빠 모양)
2. 한 손씩 들고 서로 다르게 가위바위보를 하며 춤춘다.
3. 노래가 끝날 때 가위바위보!를 하는데 강사에 진 사람은 손을 내리고 이기거나 비긴 사람만 계속해서 가위바위보를 계속한다.
4. 마지막까지 남은 사람 1~3인에게는 미니 양갱 등의 선물을 준다.

백기 내리고 청기 올려 아빠의 청춘(디스코)

한참 유행했던 백기-청기 게임을 '아빠의 청춘'(오기택 노래, 손목인 작곡)을 부르며 해 보자. 이 곡은 '쨍하고 해 뜰 날', '내 나이가 어때서'와 함께 3대 응원곡으로 선정된 인기곡이다. 강사의 지시에 따라 손목을 돌리며 깃발이나 리본을 들고 흔든다. 팔과 손목 운동도 되고 재미있다.

1. "백기 내리고 청기 올려" 하면 청기를 든 손을 리듬에 맞춰 마구 흔든다. "백기 내리고 백기 올려", "백기 올리고 청기 올려" 집중하지 않으면 실수하게 되니 귀 쫑긋하고 열심히 하신다.

2. 노래 가사에서 "이 세상에 부모 마음 다 같은 마음~" 할 때 시니어들은 '음' 박자에서 "*잘 살아야 한다!*"라고 외친다. 또 "아들딸이 잘 되라고 아 행복하라고~" 할 때 '고' 박자에서 "*행복해야 한다!*"라고 외친다.

* 전주나 간주 부분은 리듬을 타며 겨드랑이 춤을 춘다.

* 실수하면 벌칙을 준다.

스카프로 그물망 치기 티리톰바

이탈리아 나폴리 어부들의 노래 '트리콤바'(수선화')를 들으며 스카프 그물 놀이를 해 보자. 가운데 앉은 사람이 물고기이고, 밖에 둘러앉은 사람이 어부가 되어 그물을 치는 것이라고 설명해 준다. 고기들은 붐을 치며 몸을 흔들고 춤을 춘다. 화면에 보이는 영상과 노래가 웅장하고 신나서 어부가 된 느낌으로 하기에 충분하다. 한 시설에선 즐거워하시고 끝내기를 아쉬워하셔서 '행운을 드립니다'를 추가로 불렀다.

1. 100m 이상의 연결된 스카프를 노래가 시작되면, 그물을 치듯이 옆 사람에게 전달하면서 풀어 간다.
2. 들고 있는 스카프로 노 젓는 시늉을 한다
3. 상하좌우로 지시에 따라 춤추듯이 흔든다.

* 가운데 인원은 붐웨커를 주어 리듬을 연주한다.
* 인원이 적은 곳은 요양사들이 물고기가 된다.
* 스카프가 걸리지 않도록 요양보호사의 도움을 구한다.
* 지정한 색깔을 잡으면 엉덩이로 이름 쓰기를 한다.
* 끝나고 '다 놓으세요~' 요양보호사 1인이 감는다.

협력 스카프 댄스 — 행운을 드립니다

준비물: 시스루 스카프

스카프의 끝을 각각 묶어서 연결하여 길게 만들어 옆으로 돌려가며 노래(강병철과 삼태기 노래, 김용만 작곡) 부른다. 두 팀으로 나누어서 하면 복잡하지 않아서 좋다. 어린아이처럼 엄청 즐겁게 부르면서 하신다. '뱃놀이' 노래에 맞춰서 해도 좋다. 너무 느린 게 싫다면 뱃놀이 디스코를 선택해서 하면 더욱 흥겹게 할 수 있다.

1. 연결된 스카프를 노래가 시작되면 돌린다.
   시설의 크기, 인원수를 고려하여 길이를 정한다.
2. 중간중간 다음과 같이 외친다.
   가. 붙잡고 좌우로 흔들기
   나. 위에서 좌우로 흔들기
   다. 아래에서 좌우로 흔들기
   라. 노젓기~

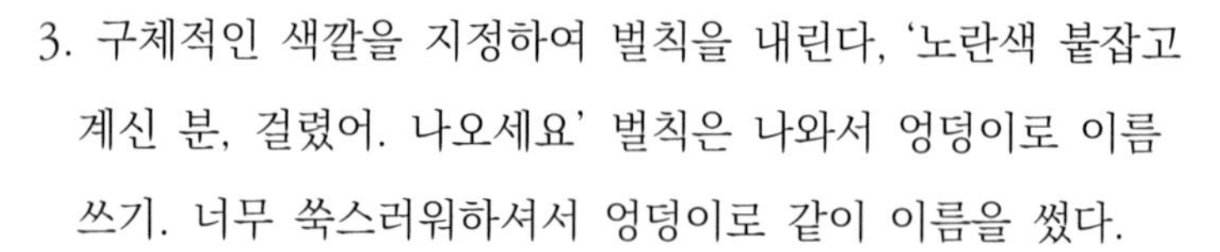

3. 구체적인 색깔을 지정하여 벌칙을 내린다, '노란색 붙잡고 계신 분, 걸렸어. 나오세요' 벌칙은 나와서 엉덩이로 이름 쓰기. 너무 쑥스러워하셔서 엉덩이로 같이 이름을 썼다.

* '사랑의 트위스트'로 할 경우 라. 노 젓기 대신 트위스트 춤추기로 바꾸면 된다

풍선놀이

풍선(동방신기)

집에서 종종 하던 놀이를 시니어들과 해 보았다. 잘 알려진 노래(다섯 손가락 노래, 김성호 작곡)를 부르고 그 후에 단체로 재미있는 풍선 놀이를 해 보자. 노래를 부르며 풍선이 땅에 떨어지지 않도록 해야 한다.

1. 노래를 들으며, 부르며 불어진 풍선을 손으로 톡 쳐서 공중에 띄운다.
2. 툭 쳐서 옆으로 살짝 이동시킨다.
3. 내 앞에 떨어진 풍선을 옆 사람에게 날려야 하며 못 받아 땅에 떨어뜨리면 지는 놀이 게임이다.

인원이 많은 곳은 다양한 버전으로 놀 수 있다.

① 두 사람씩 나와서 풍선을 주고받기를 하거나,

② 팀을 나눠 2개의 풍선을 옆 사람에게 옮겨서 다시 돌아 오게 하는데 빨리 돌아온 팀이 승리하는 것으로 한다. 튕겨서 나가떨어지면 반칙이다.

③ 뒤에서부터 풍선을 튕겨서 앞으로 보내면 앞사람이 강사가 들고 있는 백업봉을 풍선으로 맞추는데 먼저 맞추는 팀이 이기는 놀이도 해보자.

백업봉으로 하는 전래놀이 여우야 여우야 뭐하니

전래동요 '여우야 여우야 뭐하니?'를 가지고 백업봉 놀이를 해 보자. 두 사람이 마주 보며 백업봉을 서로 잡고 오른손, 왼손을 교대로 잡아당기면서 주고받는 놀이 게임이다.

"… 죽었니? 살았니? 죽었다 또는 살았다" 술래가 살았다 하면 아이들이 와~ 우르르 도망가고 술래인 여우는 잡으러 다니는 놀이이다.

강사가 술래 역할로 노래를 리드하는데, "죽었다" 라고 말할 때는 시니어들이 가만히 있고 "살았다" 하고 말하면 시니어들이 도망가는 대신 서로 백업봉을 잡아당겨 백업봉을 내 것으로 만들면 이기는 놀이다. "죽었다"할 때 뺏는 분도 벌칙이다.

먼저 백업봉은 하나씩 나눠주고 다른 곡으로 활동을 하다가 활동이 끝나면 이어서 하는 것도 괜찮다. 평소 50-60cm 길이 백업봉을 사용하는데, 이 놀이할 때는 시니어 두 분이 양손에 백업봉을 하나씩 서로 같이 쥐고 하기 때문에 앉은 거리를 적당히 띄우고 백업봉 끝을 잡고 하면 안전하다. 잡아당겼을 때 얼른 빠지기 때문이다.

'여우야 여우야 뭐하니' 전래동요는 Am 코드만으로 이루어져 있기 때문에 키보드로 쉽게 연주할 수 있다. 엠알에 맞춰서 하는 것보다 강사가 키보드를 연주하고 중간중간 기다려 주면서 부담 없이 게임을 진행하는 것이 자연스러워 좋다.

미라라 라라솔 미라솔라 미라솔라 미라라솔라

미라라 라라솔 미라솔라 미라솔라 미라솔라

미라라 라라솔 미라솔라 미라솔라 미라솔라

미라솔라 라라도 라라솔

이 곡을 가지고 인지 게임을 진행해 보자. 가사 중에 '세수한~다' 다음에 뭐라고 말했을까요? 하고 물어본다. 답은 '멋쟁이'다. '잠 꾸러기', '예쁜이'도 물어보고 맞춘 분에게 칭찬을 듬뿍 해 준다.

노래가 입에 착착 붙었을 때 노래를 부르면서 백업봉을 가지고 놀아보자. 모두 어린아이가 된 것 마냥 즐거워하신다.

단체 협력 박수/공놀이 늴리리 맘보

'늴리리 맘보'(김정애 노래, 나화랑 작곡)를 단체 협력 박수를 치면서 신나게 불러 보자. 전주와 간주 부분은 어깨춤을 춘다. 양손바닥을 펴서 왼쪽 손바닥이 위로 향하게 하여 아래에 놓고 오른손을 그 위에 뚜껑 덮듯이 두면서 박수 친다. (내 거) 내 오른손으로 내 오른쪽에 앉은 사람의 위로 향한 왼쪽 손바닥을 친다. (네 거) 나와 옆 사람의 손을 치면서 계속 집중하며 노래한다. (내 거 2 네 거 2)

두 번째 노래를 부를 때 공을 전달하는 게임으로 바꾼다. 노래를 부르면서 공을 전달하다가 곡이 끝날 때 공을 가진 사람이 벌칙을 받게 된다. '늴리리 맘보'를 노래교실로 해서 먼저 배우고 레크리에이션을 하면 좋다. 가사를 익히기 위한 방법으로 가사를 끊고 물어보는 노래방 놀이를 함께 할 수도 있다.

3-3 옛날 음악 교과서

음악 교과서는 기악/가창/감상의 영역으로 이루어져 있다. 학창 시절의 음악 교과서를 회상했을 때 추억과 즐거운 감정이 떠오르는 사람이 많을 것이다. 교과서 음악은 추억을 떠올려 정서적인 안정감과 뇌 운동 등 회상과 장기기억력에 도움을 준다.

국민동요로는 고향의 봄, 오빠 생각, 반달, 등대지기, 클레멘타인 등이 있다. 동요를 메들리로 부르면서 수건돌리기 3-2 놀이를 하면 즐거운 시간이 될 것이다.

한국을 대표하는 베스트 가곡은 선구자, 그리운 금강산, 목련화, 희망의 나라로, 보리밭, 청산에 살리라 등이 있다. 이 기회에 복식 호흡법을 익혀서 그리운 우리의 가곡도 멋지게 불러보자.

국민민요는 아리랑 외 도라지타령, 갑돌이와 갑순이, 경복궁타령, 밀양아리랑, 군밤 타령 등이 있고, 외국민요로는 오 솔레미오, 산타루치아 등이 유명하고 인기가 있다. 그 외 추억의 팝송들도 활동의 배경 음악으로 선택하여 다루면 좋다. 감상곡으로는 결혼행진곡, 투우사의 노래, 축배의 노래, 개선행진곡 등을 선택하면 좋아할 것이다.

붐웨커 연주 고향의 봄

준비물: 붐웨커 (혹은 합주용 악기)

국민동요인 '고향의 봄'을 붐 악기로 연주해 보자. 인체 리듬 놀이를 하며 노래를 즐겁게 불러보자. 붐은 멜로디 악기이므로 하나씩 나누어 주고 손바닥이나 다리 등 몸에다 치면서 함께 노래를 부르도록 한다. 강사는 하모니카, 누보피리, 오카리나 등을 활용하여 음이 떨어지지 않도록 하자.

이 곡은 익히 잘 알고 있는 곡이라 색상 악보3-5를 보며 공명 실로폰, 핸드벨, 플라스틱 톤챠임으로 합주를 할 수 있다. 하모니카를 준비해서 강사가 불거나 시니어들 중에 불 수 있는 분에게 기회를 주어 보자.

묵찌빠 리듬 　　　　　　　　　　오빠 생각

국민 동요 '오빠 생각'을 묵찌빠 리듬(3박자)으로 표현하며 부른다. 곡도 익숙하고 동작도 쉬워서 즐겁게 잘 따라 하신다.

간단한 3박자 율동을 만들어 부르면 더욱 신난다. 장면을 연상하면서 창의적으로 동작을 만들어 보자, 3박자 리듬 익히기를 위한 곡으로 제격이다. 요양원에서는 컵타로도 가능하니 응용해 보자.

이 곡도 색상 악보3-5를 보며 공명실로폰, 핸드벨, 플라스틱 톤챠임으로 합주를 할 수 있다. 붐웨커로 하면 더욱 쉽게 할 수 있다.

합창 메기의 추억

'메기의 추억'(일명 옛날의 금잔디)을 반주에 맞춰 함께 합창하면 옛 추억이 새록새록 생각난다. 어떤 느낌이 드는지 물어보자. 강사의 추억도 이야기함으로 시니어들도 이야기할 수 있도록 유도해 낸다. 시니어들은 옛 친구들과 재밌게 뛰어놀던 생각이 제일 많이 난다고 한다. 어느 분은 울면서 노래를 하셨다. 강사가 하모니카나 멜로디언을 불면 분위기가 더 살 것이다.

메기의 추억과 같이 조용한 노래를 부르고 나면 반드시 분위기 전환을 시키는 곡을 다음에 배치한다. 경쾌한 트롯이나 응원곡으로 역동적인 활동을 이어나간다.

기타 과거 음악 교과서에 수록된 곡들을 <u>4계절</u>과 <u>테마</u>별로 동요, 민요, 가곡 등 선곡해 본다.

가곡과 복식호흡법 선구지

웅장한 마음이 드는 가곡인 '선구자'를 불러보자. 호흡이 중요하고 힘이 필요한 곡이기에 부르기 전에 복식호흡법을 먼저 익히고 함께 불러본다.

1. 코를 통해 배가 최대한 부풀어질 때까지 숨을 들이 마신다. 이때, 가슴 상부는 이완한다,
2. 입술을 내밀어서 천천히 "스" 하고 내쉰다, 이때, 배가 아래로 내려갈 것이다.

음대에서는 음파 연습이라고 하는데 복식호흡을 하는 것이다. "복식 호흡을 재미있게 익힐 거예요. 삼파운동을 하면 내부기관에 근육이 생기고 폐활량도 많아져요. 음식에 '파'자 들어간 음식은?" "양파, 대파, 쪽파요~" "크게 숨을 들이마신 후 양~~~~파! 하고 숨을 내뱉어요" 대파, 쪽파도 같다. 호흡법을 익히고 '선구자'를 함께 멋지게 불러보자.

시니어들이 좋아하는 민요 수업

국악수업은 교과서에서도 점차 비중이 늘어 가는 추세인데, 시니어들은 여전히 국악도 좋아하시기 때문에 소홀히 할 수 없다. 시니어들이 좋아하는 민요도 불러보자. 노들강변 외에 접시춤으로 표현할 수 있는 갑돌이와 갑순이 민요(굿거리장단)가 있고 메기고 받는 쾌지나 칭칭나네(자진모리장단)가 있다.

장단을 배울 때의 요령은 다음과 같다.
① 구음으로 한다. ('덩덩 덕 쿵덕' 등을 소리 내어 말하는 것)
② 장단을 친다.
③ 구음과 장단을 같이 한다.
* 구음이 뇌에 박혀야 장단을 치며 노래 부를 때 자연스럽게 나온다.

민요를 부르며 리듬스틱을 연주하고 춤을 추어 보자. (4마디로 간주하고 1마디당 하나둘셋 세면서) 리듬스틱을 칼싸움하듯이 교차해서 한 마디를 올라가면서 친다. 두 마디째에서 리듬스틱을 딱! 하고 치고 팔을 천천히 벌린다. 세 마디는 왼쪽 어깨춤, 네 마디는 오른쪽 어깨춤을 춘다. 이때 접시를 이용할 수도 있고, 스카프를 이용한 춤을 추어도 좋다.

노들강변에 맞춰 소고춤 추기

소고치는 방법을 먼저 자세히 알려 준다. 소고는 일반 북과는 치는 법이 다르다. 소고를 점점 위로 향하면서 하는 것이 포인트다.

가. 양손을 손뼉 치듯이 한다. (왼손 북/오른손 채 들고)

나. 북을 누이고 채가 위를 향하게 하여 친다.

다. 얼굴까지 올라와 가. 와 같은 방법으로 친다.

라. 소고의 모서리 부분을 "딱" 하고 친다.

마. 민요 춤을 춘다.

* 가-나-다-라 연속으로 3박자이지만 네 번을 연속하여 친 다음 어깨춤으로 바로 전환한다. 마지막은 원을 그리며 마무리한다.
* 가.~마.까지 하나둘셋, 둘둘셋, 셋둘셋, 넷둘셋 4마디 기준 '노들강변 봄버들~'가사에 해당한다.
* A와 B 두 그룹으로 나뉘어 같이 하면 신나고 멋진 타악 합주가 된다.

A 그룹 : 소고춤

B 그룹 : 세마치장단

소고로 세마치장단 치기 도라지타령

세마치장단: 덩-덩덕-쿵덕 / 장고로 전체 리듬을 리드한다. 세마치장단은 경기민요와 같이 조금 빠른 3박자(9/8)의 장단이다. 아리랑, 도라지, 한오백년 등이 대표곡이다.

'노들강변'에 사용했던 소고춤추기를 '도라지'에서도 한 번 더 사용해 보자. 소고로 세마치장단을 칠 수 있다. 단순하게 치는 분들도 있을 것이다. 강사가 장구로 장단을 쳐주면 좋다.

가. 양손을 손뼉 치듯이 한다. (왼손 북/오른손 채 들고)

나. 북을 누이고 채가 위를 향하게 하여 친다.

다. 얼굴까지 올라와 가. 와 같은 방법으로 친다.

라. 소고의 모서리 부분을 "딱" 하고 친다.

마. 민요 춤을 춘다.

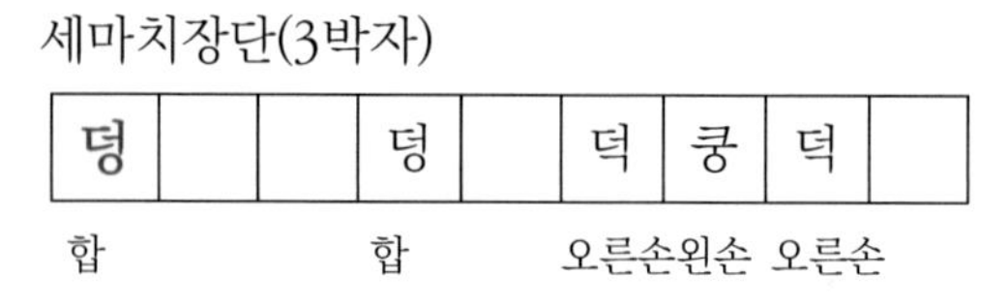
세마치장단(3박자)

덩			덩		덕	쿵	덕	
합			합		오른손	왼손	오른손	

* 첫 박의 덩은 강박이다.

강약을 잘 살려야 멋스럽고 신명나는 장단이 된다.

소고로 굿거리장단 치기 　갑돌이와 갑순이

굿거리장단: 덩 기덕 쿵더러러러 쿵 기덕 쿵 더러러러러

전주나 간주는 어깨춤을 춘다. 시니어들 쉽게 하도록 '덩 기덕 쿵덕- 쿵 기덕 쿵덕-'으로 응용할 수 있다. 소고로 먼저 구음을 소리 내어 연습하여 인지시킨 다음에 변형된 단순 장단을 소고로 치면서 노래 부른다.

굿거리장단은 세마치장단과 함께 민속악에서 가장 많이 사용되는 12박의 장단이다. 우리가 잘 아는 청춘가, 베틀가, 태평가, 오돌또기, 한강수타령, 늴리리야, 천안삼거리 등을 부를 때 반주된다. 민요뿐 아니라 산조와, 판소리, 무악, 무용음악 등 폭넓게 사용된다.

굿거리장단(6박자)

덩		기 덕	덩	더 러	러 러	쿵		기 덕	쿵	더 러	러 러
합		오른손	합	오른손…		왼손		오른손	왼손	오른손…	

* 첫 박의 덩과 중간의 쿵은 강박이다.
강약을 잘 살려야 멋스럽고 신명나는 장단이 된다.

약식 굿거리장단 태평가

장구가 없는 시설이 많고 소고가 치기 쉽기 때문에 소고를 이용하여 시니어들과 전통 무용을 한다. 강사는 장구를 치고, 시니어들은 굿거리장단을 소고로 치면서 소고춤을 춘다. 굿거리장단이 어려우니 시니어들이 춤을 출 때는 여유를 주기 위해서 굿거리장단을 다음처럼 약식으로 치면 좋다.

1. 덩 - 가슴 위치에서 친다
2. 기덕 - 얼굴 위치에서 친다
3. 쿵덕 - 머리 위치에서 친다
4. 민요 춤을 춘다(8마디)

* 1-2-3-4-1-2-3-4를 반복한다.

소고로 자진모리장단 치기 군밤타령

자진모리장단: 덩-덩-덩덕-쿵덕/장고로 전체 리듬을 리드한다.

〈무릎장단 익히기〉

오: 오른쪽 무릎을 친다　　윈: 왼쪽 무릎을 친다

오윈: 오른쪽 왼쪽 무릎을 동시에 친다

오윈(덩) - 오윈(덩) - 오윈(덩) - 오(덕) - 윈(쿵) - 오(덕)

자진모리장단은 판소리나 산조에서 쓰이는 비교적 빠른 12박의 장단이다. 4박이 한 장단이 된다. 4박자이므로 세마치장단에서 덩이 하나 더 있는 셈이다. 군밤타령, 쾌지나칭칭나네 등 흥겨운 타령에 쓰인다.

자진모리장단(4박자)

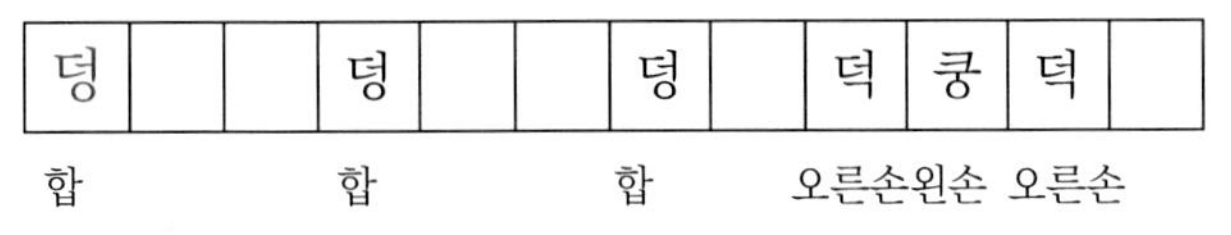

덩			덩			덩		덕	쿵	덕	
합			합			합		오른손	왼손	오른손	

* 첫 박의 덩은 강박이다.

강약을 잘 살려야 멋스럽고 신명나는 장단이 된다.

소고로 자진모리장단 치기

풍악을 울려라

자진모리장단: 덩-덩-덩덕-쿵덕/장고로 전체 리듬을 리드한다.

트롯 가요에 맞춰 장구 장단 치기로 응용할 수 있다.
트롯 가요 '풍악을 울려라' 노래에 맞춰 자진모리장단을 치며 노래를 흥겹게 불러보자. 마지막 풍악을! 울려라! 부분을 소고로 쿵쿵쿵 쿵쿵쿵 하고 리듬 치기를 하며 마친다.

자진모리장단(4박자)

덩			덩			덩		덕	쿵	덕	
합			합			합		오른손	왼손	오른손	

* 첫 박의 덩은 강박이다.
강약을 잘 살려야 멋스럽고 신명나는 장단이 된다.

반주에 맞춰 서로 메기고 받으며 노래하기

쾌지나 칭칭나네

자진모리장단: 덩-덩-덩덕-쿵덕/장고로 전체 리듬을 리드한다.

'쾌지나 칭칭나네'의 뜻은, 임진왜란 당시 일본군이 퇴각하는 모습을 보며 "쾌재라(좋구나) 청정(일본 장군)이 나가네" 하며 외치는 말에서 유래하였다고 한다.

〈메기고 받는 형식 방법〉

가. 메기고 받는 민요 형식이다.(1st.높게 시작) (2nd.낮게 시작) 받을 때는 '쾌지나 칭칭나네' 부분을 소고로 리듬 치기를 하며 큰 소리로 부른다.

나. 장구나 꽹과리로 흥을 돋우며 메기면서 받을 때도 큰소리로 함께 부른다.

다. 메길 때에 상황에 맞는 가사로 개사하여 부를 수 있다.
예) 나는 OOO 먹고 싶다 - 쾌지나 칭칭나네

자진모리장단(4박자)

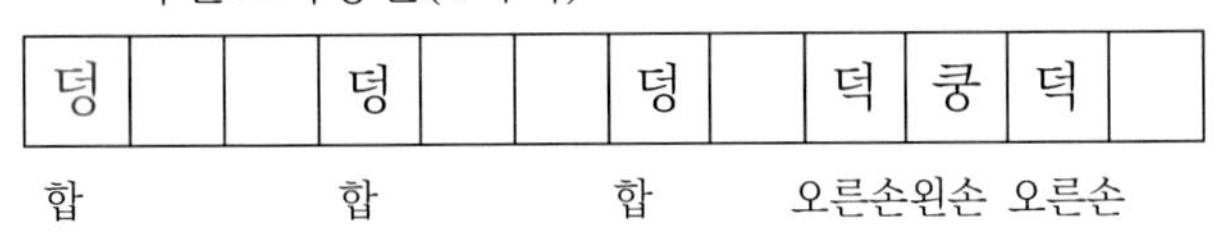

덩			덩			덩		덕	쿵	덕	
합			합			합		오른손	왼손	오른손	

* 첫 박의 덩은 강박이다.
강약을 잘 살려야 멋스럽고 신명나는 장단이 된다.

3-4 음악퀴즈와 리듬놀이

어르신들의 흥미와 집중력을 향상시키기 위해 퀴즈 활동을 넣었다. '전국에 계시는 시청자 여러분 안녕하십니까? 여기는 서울 장충체육관입니다.' "지금 들으신 오프닝 음악(옛날 권투 중계곡)을 듣고 생각나는 스포츠는?" 할머니들은 어리둥절, 할아버지들은 잘 안다는 듯이 답하신다. '엄마들은 찌개 끓이느라 못 봤지? 애쓰셨어'하면 할머니들이 좋아하신다. 화면을 계속하여 보여준다. '오늘도 홍수환 선수 화면에 나오고 있습니다' 오래전 TV에서 본 것들을 떠올리고 시니어들은 벌써 입꼬리 올라가고 좋아하신다. 이렇게 추억을 공유하는 시간은 즐겁고 유대감을 향상시킨다. 강사는 시니어들의 시대 분위기와 문화를 이해하고 있어야 선곡, 퀴즈 등 공감하고 소통할 수 있는 내용을 선정할 수 있다.

노래 제목 맞추기 등 음악과 관련된 여러 형태의 문제를 준비하여 진행한다. 퀴즈 후에 다 같이 반주에 맞춰서 노래를 부른다. 때론 먼저 노래를 부르고 문제를 낸 후 한 번 더 부른다.

.

예시 1) 상황 유추하기: 웅장한 음악, 대관식 음악 등으로 유튜브를 검색하면 나오는 음악을 가지고 문제를 만들었다. 이 음악을 듣고 음악에 맞는 상황은 다음 중 무엇일지 물어본다.

1) 국왕 폐화 만세!~~~ 2) "늑대가 나타났다!!!"

음악퀴즈 눈물 젖은 두만강

예시 2) '눈물 젖은 두만강'(김정구 노래/작곡)을 2비트로 손뼉을 치며 함께 노래하고 난 후에 문제를 낸다. "지금 부른 노래는 '눈물 젖은 000'입니다. 이 노래에서 나온 강의 이름은?" PPT를 이용하여 정답이 나올 때 효과음을 넣으면 더욱 재미있게 할 수 있다. '처녀 뱃사공'과 '눈물 젖은 두만강'은 트롯의 고전 같은 곡이다. 많은 시니어들이 알고 있는 곡인데, 이처럼 퀴즈나 활동할 때는 익히 들어 알고 있는 곡들을 껴서 활용하면 좋다.

이 곡도 우드스푼이나 끝말잇기 놀이를 적용시켜 수업을 확장할 수 있다. 젓가락으로 막걸리장단을 쳐 보는 것도 재미있다.

예시 3) '사치기 사치기'(남진/윤수현 노래, 정동진 작곡)를 가사에 집중하게 하면서 함께 부른다. "이 노래에서 화요일은 화끈하게 사랑하고 수요일은 뭘까요?" 일요일은 또 어떻게 사랑할까요?

예시 4) 기타 방법: 내가 직접 신디사이저로 대충(정확하지 않고 재즈식으로) 연주하고 제목을 맞춰 보도록 한다. 내 나이가 어때서, 당신이 좋아, 아리랑, 무조건 등의 노래를 여러 악기로 연주하여 문제를 낸다.

음악퀴즈 처녀 뱃사공

다 함께 손뼉을 치며 노래를 부른 후 문제를 낸다. 정답을 자료화면으로 확인한다. 다양한 질문을 창의적으로 만들어 보자. 나는 PPT 화면으로 문제를 내고 답을 말하면 음악이 나오며 정답이 동그랗게 표시되게 해 놓았다.

"가사에 집중하세요~ 지금 들으신 노래는 '처녀 뱃사공'(황정자 노래, 한복남 작곡)입니다. 1-2절 가사에서 나온 강의 이름은?"
"지금 들으신 노랫말을 통해 추측해 볼 수 있는 여동생의 직업은 무엇일까요?"

상으로 호두과자, 호박 젤리(떡인데 이에 붙지 않는 것), 껌, 쌀 과자 등을 준비해서 드리면 화기애애한 시간이 되고 적극적으로 활동에 임하신다.

단체로 말하는 끝말잇기 놀이3-2도 함께 해 보자. '처녀 뱃사공'의 "낙동강 강바람이 치마"에서 노래가 끊기면 '치마'의 끝말 '마'를 가지고 계속 이어간다. 치마 - 마음 - 음악 - 악단 - 단오 - 오징어 - 어부 - 부자 ... 와 같이 이어간다.

퀴즈 　　　　　　　　　　주방효과음

〈어디에서 나는 소리일까요?〉〈무슨 소리일까요?〉

각각의 효과음을 유튜브에서 검색하여 저장해 두고, 수업 도입부나 혹은 전환기에 퀴즈로 사용한다. 주관식으로 내고 화면에 정답을 공개하면 엄청 흥미 있어 하시고 맞추려고 애쓴다.

1. 물 튀는 소리(똥 소리) 효과음
2. 방귀 방귀 소리 효과음
3. 유리 깨지는 소리 효과음
4. 장작 타는 소리 효과음
5. 소나기 빗소리 효과음
6. 김치전 부치는 소리 효과음

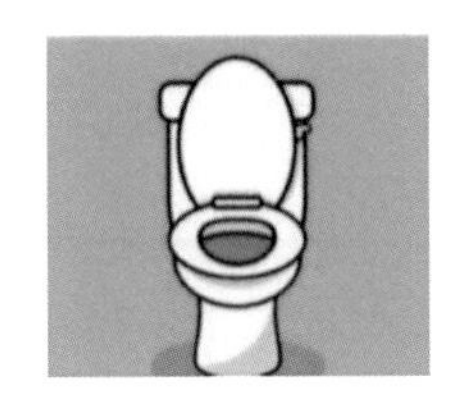

옛날에 한 옛날에 얼간이 살았는데

동네 아가씨를 짝사랑했더래요

어느 날 그 아가씨 우물가에 앉았는데

얼간이는 다가와서 손목을 잡았더래요

어머 어머 이러지 마세요

우리 엄마 보시면 큰일이나요

"어머, 왜 이러세요 이 손 놓으세요~"

옛날에 한 옛날에 얼간이 살았는데

동네 아가씨를 짝사랑했더래요

어느 날 그 얼간이 있는 용기 다 하여서

그 아가씨 귀를 잡고 뽀뽀를 했더래요

어머 어머 이러지 마세요

우리 엄마 보시면 큰일이나요

"어, 왜 자꾸만 이러세요 정말~"

"(　　　　?　　　　)"

여름은 지나가고 가을이 다가왔대

곡식이 무르익듯 사랑도 익었대요

그래서 둘이는 저 푸른 초원위에

그림같은 집을 짓고 행복하게 살았더래요

음악퀴즈 얼간이 짝사랑

오래전 유행했던 포크송 '얼간이 짝사랑'(쉐그린 노래, 이승대 작사, 박영근 작곡) 가사 "(?)"에 아가씨는 무엇이라고 말했을까요? 먼저 주관식으로 물어보자. '경찰에 신고한다', '한 번 더 해 줘요' 등 다양한 의견이 나온다. 개인적인 의견들을 들은 후에 객관식으로 물어보자.

1) "뽀뽀까지 하고 야단이야~"

2) "뽀뽀까지 하고 지랄이야~"

보기를 보고 아가씨의 심리를 분석해 보자.

1. "뽀뽀까지 하고 야단이야~" - 총각에게 호감이 있음을 암시
2. "뽀뽀까지 하고 지랄이야~" - 총각이 너무 싫다는 것을 암시

후에 3절 가사를 들으면 아가씨는 그 총각이 싫지는 않았다는 것을 알 수 있다.

답을 알았으니 한 번 더 신나게 부르고 '결혼행진곡'에 맞춰 강사(친정아버지 역할)가 할머니(딸) 한 분을 얼간이 총각에게 시집보내는 행진을 한다. 만약 여성 강사라면 강사가 딸, 시니어 중에 한 분이 아빠가 되어 음악에 맞춰 행진을 한다. 자연히 사진작가들이 나타날 것이다. 추억을 소환하는 재미있는 시간이다.

시니어를 위한 리듬놀이

일반인이나 어르신들은 음표를 낯설어 하고 두려워한다. 그래서 좋아하는 과일로 대신하여 가르치는 방법을 고안하게 되었다. 리듬 공부(음표)를 과일로 한다고 하면 신선하고 재미있다. 난타의 주고받는 기본 리듬을 쉽게 익힐 수 있다. 서로 암호를 주고받는 '인지 리듬 게임'이라고나 할까?

리듬막대로 리듬 주고받기를 해 보자.

1. 배　　배　　딸기　배
2. 딸기　딸기　딸기　배
3. 딸기　딸기　배　　배
4. 딸기　배　　배　　딸기
5. 바나나　바나나　딸기　배

* 배-4분 음표 1개, 딸기-8분 음표 2개, 바나나-3잇단 음표, 파인애플-16분 음표 4개를 뜻함. 각 과일이 한 박자인 셈이다.
* 1,3은 강사가 2,4는 시니어들이 서로 교대로 하고 5는 다같이 한다

리듬놀이는 우드스푼이나 소고로도 가능하고, 컵이나 볼펜 등으로도 가능하다. 다음 리듬을 다 같이 과일 이름으로 읽어 보자.

♫ ♩ ♬♬ ♩ ♫ ♫ ♩ ♬♬

딸기 배 파인애플 배 딸기 딸기 배 파인애플

'사치기 사치기' 노래에 맞춰 리듬 치기를 해보자.
[사치기 사치기 사차 뽀]를 [바나나 바나나 딸기 배]로 리듬감 있게 읽어 보자. 충분히 연습이 된 후에 노래를 시작하는데, 노래 가사에 '사치기 사치기 사차 뽀'가 나올 때마다 리듬막대로 연주한다. 전주와 간주 부분에서도 연주한다.

'청포도 사랑(댄스 경음악)'에 맞춰 점8분음표 리듬댄스로 시니어들의 혀를 자극하고 운동시키자.

1. "츄츄츄츄츄츄츄츄~~~", "츄츄차차 츄츄자" 말하며 엄지척하고 어깨를 좌우로 움직이는 춤이다.
2. 우드스푼으로 무릎을 이용하여 다양한 리듬을 난타로 표현할 수 있다.
   "츄츄차차 츄츄자자 츄츄차차 츄츄자~~~"

일본 시니어들의 혀 실험 뉴스를 이야기해 주고 시작하면 시니어들이 적극적으로 하시고, 어깨를 들썩이며 신명하게 하신다.

워드 리듬놀이

'나는 나를 사랑한다' (8글자)를 가지고 자존감 높이는 리듬놀이를 해 보자.

1. 나-짝-는-짝-나-짝-를-짝-사-짝-랑-짝-한-짝-다-짝
2. 나는-짝짝-나를-짝짝-사랑-짝짝-한다-짝짝
3. 나는나를-짝짝짝짝-사랑한다-짝짝짝짝
4. 나는나를 사랑한다-짝짝짝짝짝짝짝짝

* 나는 너를 사랑한다 (8글자)로 한 번 더 해도 좋다.
* 마지막에 강사가 '나는' 하고 외치면 시니어들이 '최고!' 하고 외치며 마무리한다. *유튜브 참조 변형

하나 빼기/더하기 인지 박수

워드 리믐놀이 전에 미리 집중하기 위해서 하는 활동이다.

1. 강사가 "하나 빼기 박수해요"라고 하면서 박수 세 번을 요구하면 시니어들은 박수를 두 번 친다.
2. 강사가 "하나 더하기 박수해요" 라고 하면서 박수 세 번을 요구하면 시니어들은 박수를 네 번 친다.

리듬 대화

리듬 대화는 우드스푼으로 무전을 치는 것처럼 치면서 말하는 것이다. 우드스푼을 치면서 말해보자.

(아내) 1. 여보/ 들어올 때/ 치킨/ 사 와요/

(남편) 2. 알았어/ 치킨/ 사가지고 갈게/

(아내)3. 사랑해요/

(남편) 4. 나도/ 많이/ 사랑해/

……

아내는 기다리다 지쳐 다시 전화를 한다.

(아내) 5. 왜?/ 아직도/ 안 와/

(남편) 6. 엄마/ 내복/ 고르고 있어/ 무슨 색깔이 좋을까?

(아내) 7. ? 과연 내 며느리는 뭐라고 말할까요? 효-자 났네~

치킨 사러 가다가 갑자기 어머니가 생각나 발길을 돌려 내복을 사러 간 아들 이야기를 하며 노래 중에 삽입한다. 어머니의 사랑을 진정 난 몰랐다는 의미로 들려 시니어들은 위로를 받을 것이다. 우드스푼으로 박자를 맞추며 '진정 난 몰랐었네'(최범걸 노래, 김희갑 작곡) 노래를 불러보자.

몸타 -*온몸으로 리듬 익히기* 　　사랑이 이런 건가요

흥겨운 노래(설운도 노래/작곡)에 맞춰 몸타를 해 보자. 무릎을 "쿵", 가슴을 "궁", 손뼉을 "따"라고 하자. 몸으로 인지하면서 하니 뇌운동도 되고, 여러 가지 리듬을 표현할 수 있다. (컵타/볼펜타/나무젓가락타 가능)

1. 쿵 - 따
2. 쿵 - 따 - 궁 - 따
3. 쿵쿵 - 따 - 쿵쿵 - 따
4. 궁궁 - 따 - 궁궁 - 따
5. 쿵쿵 - 따 - 궁궁 - 따
6. 쿵 - 따 - 궁 - 따 - 쿵쿵 - 따
7. 쿵 - 따 - 궁 - 따 - 궁궁 - 따
8. 쿵쿵 - 따따 - 쿵쿵 - 따따 - 쿵쿵 - 따
9. 궁궁 - 따따 - 궁궁 - 따따 - 궁궁 - 따
10. 쿵쿵 - 따따 - 궁궁 - 따따 - 쿵쿵 - 따

* 오른발을 "쿵"으로 표현해도 세련되고 신난다.

* 처음부터 리듬을 표현하지 말고 긴 박자에서만 리듬을 탄다. '사랑이 이런 건가요~'에서 '요'와 동시에 "쿵"하고 표현한다. '어쩌다 이렇게 멋진~'에서 멈추다가 '진'과 동시에 "쿵"

컵타 　　　　홍도야 울지마라(디스코)

강사가 장구로 연주하고 시니어들은 양손에 컵을 들고 장단을 연주하는 '장구와 함께 하는 컵타 놀이'다. 곡이 빠르게 느껴지면 디스코 버전 말고 원곡으로 하면 된다. 시설의 시니어들 상태를 보고 판단하면 된다. (곡: 김영춘 노래, 김준영 작곡)

(기본 장단) 쿵-따따-쿵-따　노래에 따라 장단을 표현한다.

(응용 장단) 쿵-따따-쿵-따따-쿵-따따-쿵-따

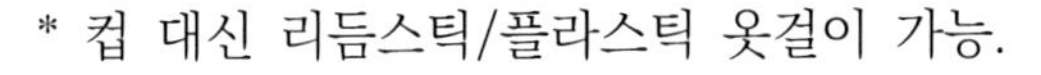

* 컵 대신 리듬스틱/플라스틱 옷걸이 가능.
* 마지막 따에서는 옆사람에게 컵을 전달.
  약간의 시간이 걸리니 한 마디는 쉬고 계속 이어간다.

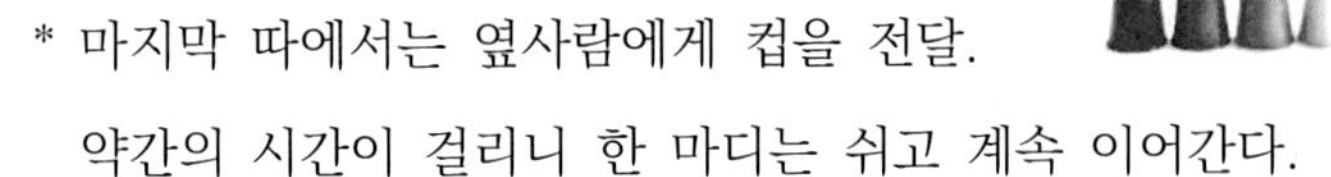

〈말로 컵타 리듬 표현하기〉 * 1~8 각각 모두 4분음표 한 박자

* 유튜브 컵타 구음에서 따옴

1: 짝짝	2: 두구두	3: 짜악	4: 딱-
5: 짜악	6: 바뚝	7. 으두	8. 딱-

① 12345678- 짝짝두구두짜악딱짜악바뚝으두딱~　통일감과

② 34567812- 짜악딱짜악바뚝으두딱짝짝두구두　리듬감 있게

③ 56781234- 짜악바뚝으두딱짝짝두구두짜악딱　말로 표현

젓가락 리듬놀이

대지의 항구

준비물: 젓가락

양손에 젓가락을 들고 막걸리 마시는 걸 상상하며 젓가락 장단을 한다. '대지의 항구'(백년설 노래, 이재호 작곡)는 좀 빨라 어렵지만 노래에 맞춰서 하면 할 수 있다. 쿵(왼손) 짝(오른손)

(기본 장단)

쿵-짝-쿵-짝-쿵-짝-쿵-짝 - 쿵-따다다따-쿵-짝-쿵-짝

딸-기-딸-기-딸-기-딸-기 - 귤-파인에플-딸-기-딸-기

(응용 장단)

노래와 가사에 따라 장단을 표현한다.

* 볼펜으로도 가능

인체 리듬놀이   네 박자

'네 박자'(송대관 노래, 박현진 작곡)는 대지의 항구 보다 좀 느려 시니어들이 젓가락 리듬놀이로 할 경우 잘 따라 한다.

쿵(왼손), 짝(오른손), 짜작(오른손 두 번) 쿵-짝-쿵-짝-쿵-짜작-쿵-짝 연속

이번엔 인체 리듬놀이로 해 보자. (가슴으로 할 경우의 예)

쿵 - 가슴을 터치한다.

짝 - 손뼉을 친다.

쿵 - 가슴을 터치한다.

짝 - 손뼉을 친다.

쿵 - 가슴을 터치한다.

짜작 - 손뼉을 두 번 친다.

쿵 - 가슴을 터치한다.

짝 - 손뼉을 친다.

* 쿵-짝-쿵-짝-쿵-짜작-쿵-짝 (머리-가슴-배-무릎 순으로)
* 노래 없이 리듬놀이를 해보자.
* 노래를 하다가 '쿵짝쿵짝쿵짜작쿵짝~'에서만 해도 좋다.

3-5 합주와 노래교실

합주는 멜로디 합주를 통해 초 집중력과 인지력 향상에 엄청난 도움을 준다. 기관마다. 작은 별(동요), 당신이 좋아(트롯) 등 노래 선곡을 다양하게 할 수 있다. 기독교 관련 기관이라면 어메이징 그레이스(찬송가)나 사랑은(복음성가) 등을 연주하면 좋아할 것이다.

시니어들은 그동안 인사 노래3-2를 통해 색상과 음정을 인지해 왔다. 오늘은 강사가 직접 연주하면서 노래의 색상이나 음정을 테스트하면서 시작한다. 각각의 색상을 인지하는지 확인하고 공명실로폰을 나누어 준다. 빨간색 = 도, 주황색 = 레, 노란색 = 미, 초록색 = 파, 하늘색 = 솔, 파란색 = 라, 보라색 = 시

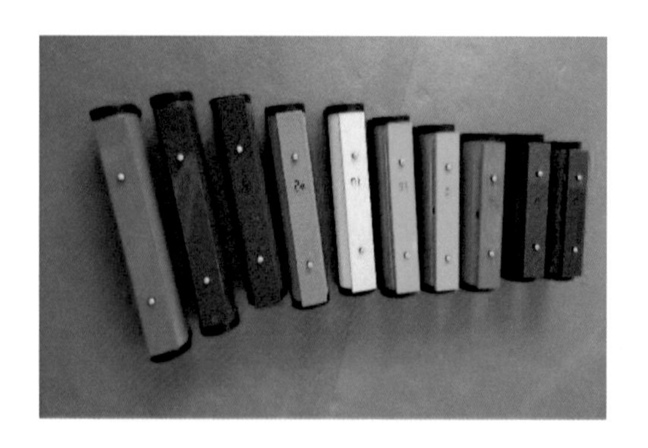

라	시	도	레	미	파	솔	라	시	도

색상 음계는 전 세계 공통 음계라고 설명해 준다. '미'는 어떤 색일까요? 각각의 음을 색상별로 확인하는 작업을 반드시 하고 넘어간다.

합주할 때에 공명실로폰 7음과 핸드차임 7음과 노래마다 다르지만 2박자 이상의 긴 박자에서 핸드벨을 3음 정도를 사용하여 합주한다. 마지막 음은 도로 끝나기 때문에 빨간색의 도 음정은 필수이다. 인원이 많을 경우에는 2배의 악기를 배치하여 합주하고 있다.

음악치료에서 임상치료사들은 그룹으로 하기 때문에 용이하지만, 강사 혼자 해도 가능한 방법이다. (각각 3세트 총 48개)

엠알 MR 반주에 맞춰 강사가 직접 지휘하면서 합주하는 방법, 색상 악보를 만들어 색상을 직접 짚어 주면서 합주하는 방법, 강사가 직접 연주하면서 말로 색상을 말해 주면서 소리가 나올 때까지 합주하는 방법 등 어떻게 해서든 된다. 방법들은 센터의 분위기와 개성에 따라서 그 방법과 곡목 선정을 달리할 수 있다. 강사의 능력을 발휘할 수 있는 시간이다.

색상 악보를 읽고 악기를 연주하는 것은, 오선악보 읽기를 어려워하는 아이들을 위해서 특수학교에 재직 중일 때 연구한 것이다. 명예퇴직을 하기 바로 한 해 전에 연구 수업에서 발표를 해서 크게 칭찬을 받은 경험이 있다.

색상 악보 연주법

〈연주법 1〉

연주하고자 하는 곡의 MR을 준비하여 반주에 맞춰 연주한다. 색상 악보에 있는 색상을 강사가 짚어주면 시니어들이 해당되는 색상의 공명실로폰과 핸드차임을 연주한다. 가, 나, 다 세 그룹으로 나누어 합주한다.

-가그룹: 제재곡의 음과 박자를 공명 실로폰과 핸드차임으로 정확히 표현할 수 있도록 지도한다.

-나(1명): 7개의 음 중에서 네 박자의 리듬 길이에서는 '솔'음의 핸드벨로 길게 표현할 수 있도록 지도한다.

-다(1명): (차임) 어려운 분들은 흔들어서 효과음을 표현할 수 있는 차임으로 표현하여 합주가 풍성할 수 있도록 지도한다.

〈연주법 2〉

1. 강사가 직접 신디사이저를 연주하며 색상을 불러주면서 연주하는 방법이다. 단, 되도록이면 재즈 리듬으로 자연스럽게 기다려 주면서 연주하는 것이 좋다. 시니어들의 표정을 보면서 눈빛을 주고받으며 연주할 수 있다.

2. MR 반주에 맞춰 강사가 직접 지휘하며 또는 피리를 불며 해당되는 색상의 음정을 가진 분에게 다가가 표현을 유도해 내는 방법도 있다.

〈색상 악보 만드는 방법과 독보법〉

하늘색 4칸은 '솔' 음정으로 온음표 네 박자인 것이다.
빨간색 한칸은 '도' 음정으로 4분 음표 한 박자이다.
초록색 두칸은 '파' 음정으로 2분 음표 두 박자이다.
파란색 '라' 음정과 주황색 '레' 음정은 반칸으로 8분 음표 반 박자이다.
색상 악보에는 도돌이표라든지 악상기호를 얼마든지 표기하여 사용할 수 있다.

〈연주법 3〉

아래와 같이 색상 악보를 만들어 악보를 제시한다. (2인 1조) 아래 색상 악보는 뮤지컬 '오즈의 마법사'에서 나오는 '무지개 너머 Over the rainbow'라는 노래다. 되도록이면 반박자는 어렵기 때문에 생략한다. 또는 한 박자로 통일한다.

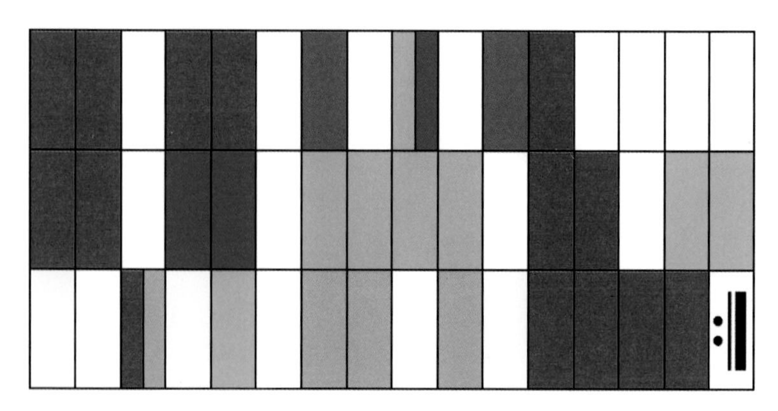

〈색상악보 연주: Over the rainbow〉

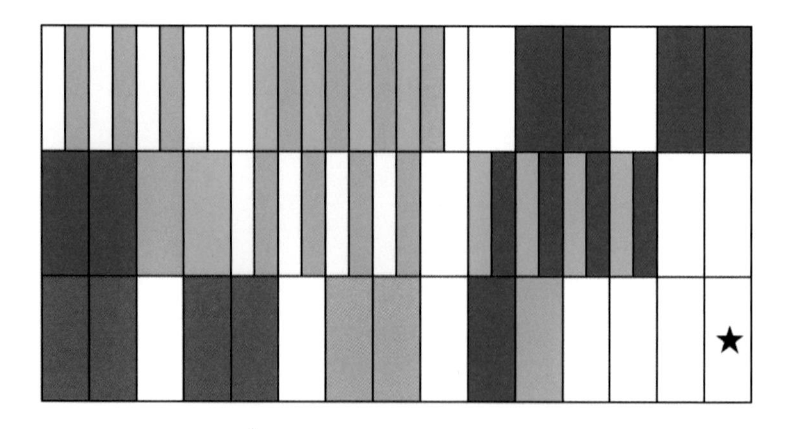

〈Over the rainbow 후렴구〉

색상 계이름 보며 연주

색상 악보보다 쉬운 것은 색상 계이름을 보며 연주를 하는 것이다. 계이름을 국제 표준색으로 써서 인쇄하는 것이다. 시니어들이 색상 계이름을 완전히 숙지하였다면 다음과 같은 화면을 보여 주고 합주를 시도해 보자. 어느 기독교 노인주간보호센터에서는 식사하기 전에 늘 이 곡을 불러서 아예 이 곡을 가지고 합주를 해 보았다.

제목: 날마다 우리에게(O Father Lord our God)

가사- "날마다 우리에게 양식을 주시는 은혜로우신
하나님 참 감사합니다~"

솔도도 미레도레

미파솔 미 파미레

솔미도레 솔 도미솔

솔 라솔파 미레도

퀴즈로 시작하는 노래교실

시니어들은 보통 말을 잘 안 하는 경향이 있고, 발성연습은 더욱 어렵다. 그래서 다음과 같이 몸 스트레칭을 하기도 하고, 말을 많이 할 수 있도록 유도해 내기 위한 퀴즈 풀기 방법을 쓰기도 한다. 스트레칭을 하고 본격적으로 노래를 부른다.

1) **스트레칭** 1: 일단 노래를 들으며 다음과 같이 스트레칭한다.

1. 발 - 무릎 - 허리 - 팔 순으로 돌리기
2. 목을 전 - 후 - 좌 - 우로 제치기
3. 두 팔을 최대한 올려 반짝반짝하며 내려오기
4, 숨쉬기

2) **스트레칭** 2: 팀을 나눠서 우리나라 쉬운 속담 60개를 유튜브에서 다운로드해 속담 이어말하기 대회를 연다. 재미있어서 열심히들 하시는데, 말하고 웃으면서 분위기가 달궈지면 본격적으로 노래 배우기로 들어간다.

예) 미운 놈 OOO OO, 찬물도 OOO OO 등

3) 스트레칭 3: 노래교실을 열기 전에, 입 꽉 다물고 계시는 분들의 주의를 환기시키고 입과 마음을 열기 위한 세 번째 방법은 '구령하기'다. 군대식 구령도 복식호흡이니 준비체조 혹은 스트레칭이라 여기고 하자.

〈군대식 구령 붙이기와 함성〉

1. 복식 호흡을 이용하여 "차~렷" 큰소리로 구령하기
2. 복식 호흡을 이용하여 "열중~~쉬어" 큰소리로 구령하기
3. 복식 호흡을 이용하여 함성 지르기
4. 앞에 놓인 촛불 100개 끄기

100개의 촛불을 불어서 끄려고 한다면 숨을 크게 들이 마셔야 한다. 그때 자동적으로 횡격막이 넓어지고 목이 열리고 공기가 들어가게 된다. 이런 원리를 이해하고 몸으로 느끼게 되면 더욱 의식적으로 복식호흡을 할 수 있게 된다. 시니어들이 쉽게 이해해서 부를 때 호흡이 달라지는 것을 느낄 수 있다.

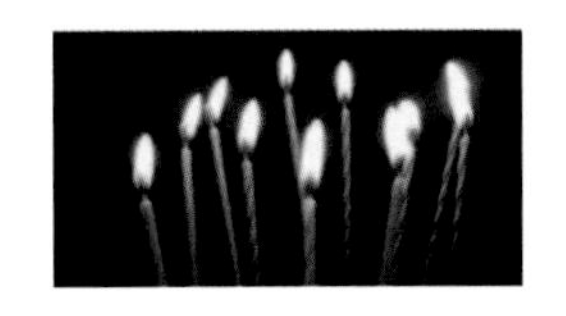

감성 있는 노래교실 별빛 같은 나의 사랑아

'별빛 같은 나의 사랑아'(설운도 노래/작곡) 악보를 나눠 주고 함께 부른다. 처음에는 가사 없는 엠알MR로 음악이 나가면서 강사의 동작을 따라 한다. 리듬을 타면서 "발목 돌리기", "허리 돌리기", "어깨 돌리기", "반대로" "목 돌리기", "손 반짝반짝" 이렇게 말하면서 체육 같은 음악 수업을 시작한다. 온몸을 릴랙스 시키면서 서정적인 분위기의 노래를 미리 들으며 익히는 것이다.

노래교실은 빠른 곡보다는 발라드풍의 서정적인 노래가 좋다. 가시버시, 바램, 보라빛 엽서 등을 매우 좋아하신다.

몸 체조를 하든 퀴즈를 하든 그 후에는 다음 순서대로 본 수업에 들어간다. 가사(노랫말) 읽기 - 한 소절씩 따라 부르기 - 전체 같이 부르기(뚜띠tutti) - 독창시키기

"저랑 같이 이중창으로 부르고 싶은 분 나오세요?" 하면 엄청 좋아하시고 나오신다.

몸 놀이를 하며 부르는 노래교실

'노랫가락 차차차'(황정자 노래, 김성근 작곡)를 몸 놀이를 하면서 불러 보자. 온몸을 흔들면서 하는 게 포인트. 리듬을 타면서 춤을 추듯 하면 재미있고 웃긴다.

1. 전주와 간주는 박자에 맞게 손뼉을 친다.
2. 게임 ('아이엠 그라운드 자기소개하기') 동작을 한다.
3. 마지막 부분은 게임 동작에 상관없이 엄지 척으로 끝낸다.

'아이엠 그라운드 자기소개하기' 놀이에 나오는 동작이란, [양손 무릎 짝 - 손뼉 짝 - 왼손 엄지 척 - 오른손 엄지 척 - 왼쪽 어깨 으쓱 - 오른쪽 어깨 으쓱 - 고개 앞으로 인사 - 고개 뒤로 젖히기] 동작을 8박자에 하는 것이다. 이 동작은 운동도 되고 리듬을 타면서 하면 춤처럼 보이게도 할 수 있다.

신곡으로 뽐내는 노래교실 　가시버시

나훈아의 '가시버시'(나훈아 노래/작곡)는 부부를 뜻하는 순우리말로 가시+버시를 의미한다. 가시는 각시 즉 아내, 버시는 벗을 뜻한다. 센터의 시니어들, 직원, 강사도 모두 벗이라 설명하고 사랑하는 마음으로 불러볼 것을 권한다. 노래를 통한 감정이입으로 사랑, 감사, 존중의 마음을 느끼고 표현하는 시간이 될 수 있다. 시니어들은 이렇게 서정적인 곡들도 좋아한다.

시니어들에게 가요 창법의 3대 요소를 설명해 주고 배워보자. 노인 유치원이 아닌 노인대학이라고 생각하고 이러한 설명도 해 주면 이해하시고 엄청 좋아하신다.

〈가요 창법의 3대 요소〉

① 감정이입

감정이입이란 타인이나 동물, 물건 등에 자신의 감정을 옮겨 넣거나, 대상으로부터의 느낌을 받아들여 느끼는 일, 감정을 실어 노래 부르기

② 복식호흡

가곡은 울림이 있는 두성 발성을 하지만 가요는 울림이 없는 목청이다.

③ 표정

얼굴 표정뿐만 아니라 몸짓, 손동작까지 포함한 표정을 뜻한다.

쉬운 쇼맨십 노래교실 밤열차

악보를 보면서 Z 모양으로 손뼉을 치며 다양한 쇼맨십으로 노래(김연자 노래, 추가열 작곡) 부르는 시간이다. 처음 부분은 겨드랑이 춤(팔 접어 위로 올렸다 내렸다)을 춘다. '기적소리~'부터 마이크 잡고 노래하듯이 부르며 가수 흉내를 낸다. 여기서부터가 쇼맨십이다. '다시 오면~'부터 박수를 친다. 4박자 곡이니 1 비트당 박수 치면서 Z 모양을 만든다.

Z 모양: 왼쪽(위) 한 번 - 오른쪽(위) 한 번 -왼쪽(아래) 한 번 - 오른쪽(아래)

축구에서 골 넣으면 세리머니를 하듯 강사는 맛깔나게 부르는 모습을 보여줘야 분위기를 띄우게 된다. 동작을 크게 하는 게 좋다. 나만의 독창적인 쇼맨십으로 노래해 보라고 시니어들에게 주문해 보자.

센터에서는 아침체조 혹은 활동 전 쉬는 시간, 식사를 준비하는 시간에 트롯을 자주 틀어 주기 때문에 많은 곡을 알고 있다. 2000년 이후의 노래 혹은 트롯을 알려주는 게 좋다.

(A) 어스름 저녁 길에 하나둘

(B) 수은등 꽃이 피면은

(A) 그대와 단둘이서 거닐던

(B) 이 길을 서성입니다

(A) 수은등 은은한 빛 변함은 없어도

(B) 당신은 변했구려 보이지 않네

(A) 아-아-아-아, 아-아

(B) 수은등 불빛 아래

(다같이) 이 발길은 떠날 줄 몰라

나 따라 해 봐라 노래교실 수은등

느린 트롯인 김연자의 수은등(이호섭 작곡)을 색다르게 배워보자. 노래를 익히는 일반적인 순서(감상-발성-한 소절씩 따라 하기-합창-독창)를 응용한 활동으로 효과적으로 노래를 익혀보자. 재미있어서 웃고, 나와서 하시는 분들 덕에 웃게 된다.

1. 1절을 부를 때 강사를 보고 따라 하게 한다. 일상생활 동작부터 가수 흉내, 여러 스트레칭 동작을 넣어서 시니어가 살짝 운동이 되도록 한다. 재미있고 엉뚱한 동작을 해서 웃게 하고 기억에 남게 한다. 노래가 끝난 후 강사가 어떠한 동작을 했는지 한 가지씩 맞추어 보게 한다.
2. '아에이오우' 반음씩 높여 발성한 후에, '아에이오우' 모음으로 한 소절씩 불러 멜로디와 리듬을 익힌다. (노래를 익히는 강력한 방법이다.)
3. A, B 두 팀으로 나눠 교대로 부른다.
4. 합창과 독창으로 완전히 익힌다. 쇼맨십도 알려준다.

* 간주에 박수와 칭찬을 듬뿍하여 분위기를 돋운다.
* 어르신들 중 한 분을 선정하여 모두가 따라서 스트레칭을 하도록 해도 좋다.

실버로빅과 함께 하는 노래교실 바램

노사연의 '바램'(김종환 작곡)을 가지고 두 가진 버전으로 체조를 곁들여 노래해 보자.

〈바른 자세 기본형 스트레칭 동작〉

1. 손바닥 감싸 당기기 2. 깍지 껴서 앞으로 펴기
3. 머리 좌우로 누르기 4. 깍지 껴서 머리 위로 펴기
5. 머리 위로 깍지 껴 상체 기울이기
6. 무릎 올려 잡아 앞으로 당기기
7. 깍지 앞으로 펴 상체 숙이기 8. 어깨 돌리기

〈디스코 리듬(remix v.)으로 실버로빅〉

느린 원곡과 다른 점은 무엇일까? 느리게 불렀을 때는 가사에 의미를 두게 되고, 감성적인 표현이 된다. 빠르게 불렀을 때는 인체 리듬과 감각적인 표현이 된다.

실버로빅 동작: 애어로빅 동작의 큰 특징은 팔에서 손끝까지 힘이 골고루 들어가고 절도가 있는 것이다. 시니어들의 신체를 고려하여 힘을 적당히 주고 속도를 조금 늦춰 단순한 동작으로 만들어 신나게 실버로빅한다.

카주 악기와 함께 하는 노래교실 　　낭랑 18세

카주는 허밍 악기로 아프리카에서 사용하던 풀피리(부족들을 불러 모으거나 사냥할 때 사용)에서 영감을 얻어 제작된 악기다. 노래교실을 열기 전에, 허밍 발성도 하고 음도 익힐 겸 카주를 사용해 보자. 폐활량을 측정하고 늘리는 방법으로 색종이를 앞에 두고 부는 방법이 있다.

노래(백난아 노래, 박시춘 작곡)에 맞춰서 "으" 하면서 소리를 내면 카주에서 떠는 소리가 난다. 음정의 높이에 맞게 불면 더욱 좋다. 한 번 불고서 낭랑 18세를 낭랑한 목소리로 힘차게 불러 보자.

파워액션 노래교실 청춘을 돌려다오

'청춘을~ 돌려다오~'(나훈아 노래, 신세영 작곡) 가사에서 주먹을 있는 힘껏 쥔 상태 즉, 온몸에 힘을 주어 애절하게 노래한다. 그 밖의 가사는 손을 있는 힘껏 펴서 노래한다.

추임새 노래교실 남행열차/고향역

추임새란 음악 중간에 변화를 주거나 호응을 얻기 위하여 넣는 소리를 말한다. 이크, 오예, 아르르르, 아싸, 이히, 우히 등 쉬는 박자에서 추임새를 넣으면 한층 즐겁게 노래할 수 있다. 명절에 추임새를 넣어 부르면 더욱 신나는 두 곡을 소개한다. 자신만의 추임새를 만들어 보라고 주문해 보자.

강사가 할 때 무엇이든 적극적으로 하면 시니어들이 적극적으로 하고 재미있어하신다. 어디서나 리더는 중요하니 그 시간 열정적으로 하시는 분들을 구체적으로 언급하여 칭찬하고 격려하자. 모범학생이 된다~! (남행열차: 감수희 노래, 김진룡 작곡)

3-6 음악 마사지

시니어들의 주 관심사가 건강이라 그런지 건강에 좋은 마사지 방법들을 음악 수업에 접목하여 실행하면 새롭기도 해서 대체적으로 좋아하신다.

거북목 예방 마사지 방법 파도 소리

1. 눈을 감고 파도 소리에 집중한다.
2. 천천히 두 손을 합장한다.
3. 합장한 두 손을 좌우로 벌린다.
   손바닥은 최대한 펴서 바깥쪽을 향함
4. 좌우로 벌린 상태에서 엄지 척을 한 후
   엄지가 등 뒤쪽으로 향하게 꺾는다.
   등 근육이 당기게 엄지를 뒤로 최대한 민다.
5. 목 전체를 뒤로 젖힌 후 5초간 유지한다.

혀를 이용한 립싱크 방법 Amazing Grace

혀를 움직이는 것은 노화현상을 방지하고 뇌의 위축을 막는다. (일본에서 8,000명 실험)는 사실을 먼저 일러주고 시작하면 건강에 관심 많은 시니어들이라 열심히 따라 한다. 음악에 맞춰 노래하듯이 표현할 것. 입을 최대한 크게 벌린다.

1. 혀뿌리까지 최대한 내민 다음 천천히 말아 넣는다.
2. 혀를 시계 방향으로 천천히 립싱크 하며 돌린다.
3. 혀를 시계 반대 방향으로 천천히 립싱크 하듯이 크게 돌린다. (사탕 먹듯이)
4. 혀끝으로 윗니, 아랫니, 오른쪽 이, 왼쪽 이 교대로 지압하듯이 갖다 댄다.
5. 혀를 살짝 깨물고 천천히 침을 삼킨다.

'축배의 노래'도 립싱크를 할 수 있다. ① 아이우에오 입 모양을 익힌다. ② 성악가의 입모양을 보고 노래하는 것처럼 흉내를 내며 혀도 함께 움직인다

눈 마사지 피아노 음악

1. 엄지손가락을 최대한 앞으로 밀어 초점을 맞춘다.
2. 엄지손가락을 가까이하여 초점을 맞춘다.
3. 얼굴은 정면으로 하고 오른쪽 팔을 들어 엄지손가락에 초점을 맞춘다. 손가락을 위, 중간, 아래, 좌, 우로 움직일 때 눈만 따라간다.
4. 눈동자를 시계 방향과 반대 방향으로 천천히 돌린다.
5. 손을 펴서 팔을 돌려 손목에 구멍 난 양노혈(노인성 질환과 노안에 특효혈) 자리를 손가락으로 꾹 눌러 지압한다.

귀 마사지 명상 음악

명상 음악을 틀어놓고 침착한 분위기에서 다음 순서대로 귀를 마사지한다. 감상도 음악수업의 한 영역이다. 영역별 마사지는 한 번에 다하지 말고 수업에 하나씩만 첨가하여 수업의 다양화를 꾀하자.

1. 엄지-검지로 귀 전체를 문지른다.
2. 엄지-검지로 귀를 접었다 폈다 한다.
3. 엄지-검지로 귓불을 마사지한다.

몸풀기 안마 8421 바램(디스코버전)

8421안마란 노래를 하면서 오른쪽 사람에게 어깨를 8번 안마해주고 방향을 바꿔서 왼쪽 사람에게 8번 안마를 하고, 이어서

4번씩 - 2번씩 - 1번씩 안마를 하는 것이다. 이 활동은 전신운동과 뇌운동에 도움을 준다.

* 강사가 "이제 그만 방향 바꿔요"할 때까지 안마를 해도 된다. 동료 간에 상호작용함으로 애정도 생기도 좋은 활동이라고 생각한다.

〈대체 의학 쿵쿵 박수〉 대체의학에서 말하는 몸에 좋은 혈자리를 자극하는 박수를 먼저 연습해 보고 노래를 부르면서 손뼉 대신 쳐 보자. 큰 열매 떨어지는 소리 '쿵'은 박수가 아닌 발 구르기다.

호박호박 쿵쿵- 수박수박 쿵쿵- 노각노각 쿵쿵- 배배 쿵쿵
호박 쿵- 수박 쿵- 노각 쿵- 배 쿵
호박수박노각배 쿵쿵

- 호박: 머리 위 중앙을 친다(백회혈: 백가지 기운이 모인다). *유튜브 참조
- 수박: 심장 위치의 가슴을 친다(정종혈: 답답함 해소).
- 노각: 한쪽 팔꿈치 밑을 다른 손바닥으로 친다(노궁혈: 손바닥 중앙을 자극해 소화 촉진). ▸ 배: 유두 아래 배를 두 손으로 친다(대횡혈: 변비 해소에 도움).

온몸 마사지(천둥과 번개) 천둥번개 왈츠

시니어들에게 클래식을 경험하는 시간을 제공한다. 요한 슈트라우스의 '천둥번개 왈츠'를 들으며 온몸으로 재미있게 날씨를 표현하면서 마사지한다. 장마철에 하면 재미있을 것이다. 손에 열이 날 정도로 혈액순환이 잘 되니 추운 겨울에 해도 괜찮다. 시니어들이 즐겁게 하신다. * 유튜브에 있는 날씨 박수를 응용하였다.

1. 비: 두 손으로 양쪽 무릎을 친다.
2. 소나기: 양 발을 쿵쿵거리며 배를 친다.
3. 바람: 손을 비빈다.
4. 천둥번개: 위 1, 2, 3을 동시에 하면서 음악에 맞춰 양손으로 세차게 심벌을 치듯이 손뼉을 친다.

3-7 우드스푼의 활용

우드스푼은 스위스 전통악기로 어르신들의 인체를 지압하고 자극함으로 혈액순환에 도움이 되고 또 재미도 있어서 1인 1악기 필수 교육에 넣었다. 우드스푼은 일반인들도 소리내기 쉽지 않아 현악기나 관악기 등 악기를 다루지 못하는 강사도 우드스푼을 잘 다루면 전문가처럼 보이는 효과가 있다.

〈리듬 익히기〉

1. 2비트 - 따안 따안
2. 4비트 - 딴-딴-딴-딴
3. 8비트 - 따따-따따-따따-따따
4. 16비트 - 다가다가-다가다가-다가다가-다가다가
   (무릎과 손바닥 사이를 위아래로 치기)
5. 고고 - 쿵쿵**따**리쿵쿵**따**리
6. 슬로우락 - 쿵쿵쿵**따**리리리 (* **따**는 세게)
7. 라틴-룸바리듬 -

닭(하나) **다리잡**(둘) **고뜯어뜯어**(셋넷)

* 네 개의 손가락에 우드스푼을 긁어서 소리내기

쿵따구다따 쿵따쿵따

* 무릎과 손바닥을 이용하여 리드미컬하게 표현하기

2비트 적용 빌리 진

유명한 마이클 잭슨의 '빌리 진'을 가지고 2비트 우드스푼 수업을 해 보자. 4분의 4박자 곡이라 4비트로 칠 수도 있지만 2비트가 어울리는 곡이라 2비트로 가르치고 함께 친다.

손가락 1번과 2번 사이에 우드스푼을 끼고 나머지 한 개는 2번 손가락과 3번 손가락 사이에 끼워 움직이지 않도록 고정한 후 스푼 2개가 부딪쳐서 소리 나도록 한다. 만들어진 우드스푼을 사용하면 더 쉽다. 노래에 맞춰 2비트로 손뼉을 치듯이 일정한 빠르기로 소리를 낸다. "따안 - 따안"이라고 말(구음)을 하며 먼저 가르친 후에 우드스푼으로 표현한다.

4비트 적용 사랑에 푹 빠졌나 봐

'사랑에 푹 빠졌나봐'(현철 노래, 박현진 작곡)로 4비트 곡을 신나게 연주해 보자.

1. 2비트 - 따안 따안 (손 - 무릎 순으로)
   2비트로 치다가 4비트로 바꾸어 쳐보자.
2. 손뼉 치듯이 약하게 3번(팔/무릎) 마지막 4번째는 모션을 크게 취하며 손뼉을 치듯이 친다. 반드시 좌우로 표현한다.

우드스푼으로만 계속 수업을 하지 말고 한 가지 프로그램을 더 추가해서 해 보자. 끝말잇기 놀이3-2를 하면 좋다. 우드스푼 수업은 단기간에 마스터가 되는 것이 아니다. 2, 4비트 연습을 하고 다른 프로그램을 하거나 2, 4, 8비트를 묶어서 하고 다른 프로그램으로 전환하는 것이 좋다.

4비트 (포크송) 짝사랑

우드스푼을 치면서 가벼운 느낌의 포크송 '짝사랑'(바블껌 노래, 웨스턴 카잇 작곡)을 즐겁게 불러 보자. 4비트 - 딴 딴 딴 딴

리듬을 타면서 무릎 -가슴 -팔 순으로 3번 자유롭게 터치하고 (단, 오른손, 왼손을 교대로 터치하고 팔을 할 때는 뻗은 팔을 위아래로 팔을 돌리면서 할 것), 반드시 네 번째 박자에서는 손뼉을 친다, 단순한 4비트를 리듬감 있게 치는 것이 포인트다. 모션을 넣어 치면 더 재미있다. 처음에는 리드미컬하게 다 보여주다가, 어려워하는 시니어가 많다면 동작을 단순화해서 하면 된다. 복지관, 센터, 요양원에 따라 동작의 수를 조절해서 하라는 뜻이다.

2비트와 4비트 응용 홍시

교직에 있을 때 학교 회식자리에서 교장선생님이 노래하시면 젊은 선생님들이 주변에서 넣었던 춤 추임새에서 생각해 낸 것인데, 시니어들도 잘 따라 하고 좋아하신다.

반드시 '빠른 비트의 홍시'(나훈아 노래, 작곡)를 선택할 것, 음악을 들으며 2비트와 4비트를 섞어서 해 보면 변화가 있어 멋스럽고 재미있다.

1. 발 한번, 스푼 한 번을 교대로 친다. (2비트로 칠 경우)
2. 스푼을 든 손을 내 배 앞에서 시작해서 안쪽에서 바깥쪽으로 3번 돌린 후 손뼉 치듯이 한 번을 치고, 반대로 바깥에서 안쪽으로 3번 돌리고 한번 친다. (4비트로 칠 경우, 간주)

8비트 4박자 응용 쿵쿵따 쿵쿵따 　까탈레나

'까탈레나'(오렌지 캬라멜 노래, 이기용배 작곡)로, 파키스탄 펀자브족의 민요인 'Jutti Meri(주띠 메리)'를 차용하여 만든 인도풍의 중독성 있는 디스코 곡이다.

8비트 4박자의 응용인 쿵쿵따 쿵쿵따는 디스코 리듬으로 고고 리듬(쿵쿵**따**리 쿵쿵**따**리)에서 '리'만 생략한 것이다. 이 곡으로 디스코 리듬을 익히면 뒤에 배울 고고 리듬은 쉽게 배울 수 있다. 중독성 있는 리듬으로 우드스푼으로 온몸을 여기저기 두드리다 보면 치는 소리도 경쾌하고 시원하게 혈액순환이 된다.

1. 고개를 젖히고 양손으로 얼굴 전체를 떠받치듯이 리듬을 타면서 들었다 놨다 한다. (얼굴 옆에 손 위치하면 된다)
2. 전신(무릎, 배, 어깨, 왼손 손바닥, 옆구리 등) 어디든 8비트 4박자 리듬으로 "쿵쿵따 쿵쿵따" 하며 우드스푼으로 리듬 치기를 한다. 　　* 마스터 팡의 '안동역 앞에서'로 해도 좋다.

쿵쿵**따**- 쿵쿵**따**- = 딸기**배** 딸기**배** ♫ ♩ ♫ ♩

* **따**와 **배**는 강세가 있다.

4비트 + 8비트 + 16비트 적용 맨발의 청춘

4비트 + 8비트 + 16비트 적용하여 우드스푼으로 지압 난타를 해 보자. (최희준 노래, 이봉조 작곡)

1. 손바닥을 이용하여 8번 치기(8비트, 따따-따따-따따-따따)를 기본으로 연습을 먼저 한다. 노래에 맞춰 오른손으로 우드스푼을 쥐고 왼팔을 치는데 점점 올라가면서 친다. 손을 바꿔 반대로 한다. 2, 4, 8비트 차례대로 친다. 노폐물이 제일 많이 낀다는 양쪽 옆구리도 4비트나 8비트로 치고, 배도 쳐 보자. 어깨도 2비트로 친다. 온 전신을 쳐서 자극이 되도록 하자. 
2. 무릎과 손바닥을 이용하여 최대한 빠르게 치기 (16비트, 다가다가-다가다가-다가다가-다가다가~)도 보여준다.

강사가 신나게 치다가 발바닥까지 지압하는 모습을 보이면 시니어들이 웃음을 빵 터뜨린다. 우드스푼의 소리가 경쾌해서 정말 신나게 한 판 논 느낌이 든다.

* 미스터 팡의 '잘못된 만남'으로도 연주해 보자. 인기 짱이다.

고고 리듬 익히기 드럼 연주 동영상

유튜브 영상을 보며 드럼 연주를 들으며 고고 리듬을 쳐본다.

* 구음: 쿵쿵**따**리 쿵쿵**따**리 (발은 4번)
* 이때, 발은 일정한 박자와 빠르기다.
* **따**(악센트) 그음만 특히 세게 (세 번째 박자에 강세가 있는 것이 포인트)

우리나라 가요는 대부분이 도, 레, 미, 솔, 라 음으로 이루어져 있고 파, 시 음이 없다. 파, 시 음은 긴장감을 주기 때문에 잘 쓰지 않는다. 또 대부분이 4박자 곡이다. 고고 리듬도 4박자에 맞춰 칠 수 있지만 시니어들에게는 쉽지 않다.

요령이 있다면 쿵쿵따- 쿵쿵따-로 가르치는 것이다. 원 구음을 알려주고 쉽게 배워봐요 하면서 시범을 보여준다. '따'를 과장된 몸짓으로 크게 치면서 리드미컬하게 변화하는 것을 느끼게 해 준다. 고고 리듬은 어려워 강사가 크게 쳐야 한다.

따라서 '찔레꽃 믹스'처럼 들으면 바로 고고 리듬을 칠 수 있는 곡으로 처음 가르치는 것이 효과적이다. 여기서 노래 선택의 중요성을 알 수 있다.

노래 부르며 고고 리듬치기 찔레꽃 믹스

우드스푼으로 고고 리듬을 배웠는데 이제 '찔레꽃'(백난아 노래, 김교성 작곡) 노래를 부르며 신나게 우드스푼 연주를 해 보자. 처음엔 구음을 여러 번 소리 내어 부르게 한다. 이것은 리듬을 이해하고 외우는데 효과적이다. 이 과정을 생략하면 절대 안 된다.

* 구음: 쿵쿵**따**리 쿵쿵**따**리 (발은 4번)

반드시 빠른 비트의 '찔레꽃'을 선택해야 리듬이 정확하게 맞아 시니어들이 이해하기가 쉽다. 함께 부르는 중간중간에 강사는 구음을 넣어 주어 박자와 리듬을 유지하도록 도와준다. 신나게 온몸으로 치는 모습을 보여주자. 다 치고 나면 손바닥이 빨갛게 된다. 팔. 다리, 무릎 등 여러 곳을 쳐도 시원하고 재미있어서 시니어들이 너무 좋아하신다. 우드스푼은 시니어들에게 정말 유익하고 매력적인 악기다.

슬로우락 리듬 익히기 무정부르스

처음엔 구음을 여러 번 소리 내어 부르게 한다. 이것은 리듬을 이해하고 외우는데 효과적이다. 이 과정을 생략하면 절대 안 된다.

* 구음: 쿵쿵쿵**따**리리리
* **따**(악센트) 그음만 특히 세게 부른다.

먼저 슬로우락 리듬을 익히고 슬로우락 리듬에 맞춰 '무정부르스'(강승모 노래, 박건호 작곡)를 부른다. 시니어들과 블루스를 추어 보자. 슬로우락은 4박자 느린 곡에는 다 적용이 가능하다.

슬로우락 리듬 적용 I can't stop loving you

'I can't stop loving you'를 들으며 슬로우락 리듬을 좀 더 연습한다. 팝송 I can't stop loving you를 찾아보면 유튜브 영상에 노인 두 분이 블루스 추는 장면이 있는 것이 있다. 강사와 시니어들도 자연스럽게 함께 출 수 있는 곡이다. 알려주고 보여준다고 요양보호사나 사회복지사와는 절대 추지 말 것. 나이 지긋이 든 어른하고 추어야 한다.

* 구음: 쿵쿵쿵**따**리리리
* 따(악센트) 그음만 특히 세게 부른다.

룸바 리듬

룸바 리듬 영상

* 구음: 닭(하나) 다리잡(둘) 고뜯어뜯어(셋넷)

* 네 개의 손가락에 우드스푼을 긁어서 소리내기

'닭'은 세게 치고, '다리잡'은 손바닥과 손가락을 쫙 펴고 검지부터 손가락 4개를 계단 모양으로 만들어 우드스푼으로 긁으면서 내려온다. 리듬이 끊어지지 않게 '고뜯어뜯어'를 5번 연결해서 쳐야 하는 것이 포인트다. 연습이 많이 필요한 주법으로, 4박자 모든 곡에 적용이 가능한 리듬이다. '보약 같은 친구' '머나먼 고향' '네 박자' 등에 적용해서 불러 보자. 엄청 흥이 나고 멋있어 보일 것이다. 이것도 엄청난 손 운동이어서 유익하다.

* '쿵따구다따 쿵따쿵따'의 구음으로 무릎과 손바닥을 이용하여 리드미컬하게 표현해 보기도 하자.

종합1 베토벤 바이러스

1단계는 강사를 따라서 하면 되고 2단계는 기술이 필요하다. 시니어들이 어려워서 잘 안되니까 서로 웃는데, 주고받는 의미를 이해하도록 충분한 연습을 해야 한다, 복지관 시니어들은 금방 습득하고 주고받는 묘미가 있어 재미있어하신다. 하지만 주간보호 센터와 요양원은 2단계를 어려워한다.

시니어들이 힘들어하고 지겨워할 수 있으니 수업 진도는 조금씩 나가야 한다. 우드스푼만 줄곧 수업하고 끝내면 안 되고 우드스푼+갈매기 댄스, 퀴즈 식으로 다른 활동을 반드시 섞어서 해야 한다. 이것만 제대로 하려면 한 달이 걸린다. 모든 리듬을 다루는 우드스푼 과정은 3개월 과정이다. (곡: 오상준 작곡)

〈A 팀과 B 팀 서로 주고받기〉

1단계 : A 팀과 B 팀 각각 강사 따라 하기

2단계 : A 팀과 B 팀 서로 주고받기

A 팀: 2비트 - 따안 따안

B 팀: 4비트 - 딴-딴-딴-딴

A 팀: 8비트 - 따따-따따-따따-따따

B 팀: 16비트 - 다가다가-다가다가-다가다가-다가다가

종합2 　　독도는 우리 땅(디스코)

빠른 비트의 '독도는 우리 땅'(정광태 노래, 박문영 작곡)을 선택해서 지금까지 배운 다양한 비트로 우드스푼 난타를 해 보자.

강사가 자신 없으면 8비트까지만 가르치면 된다. 하지만 연습을 많이 해서 강사는 모든 리듬을 보여주고 활용하는 모습을 보여 줘야 존경을 받게 된다.

전체 프로그램을 3개월에 걸쳐 다른 활동과 함께 다 보여줘도 괜찮은 것이 시니어들은 모든 활동을 다 기억하지 못한다. 똑같이 되풀이하기 싫으면 노래만 바꾸어 다시 하면 된다.

〈리듬 전체 적용〉

1. 2비트 - 따안　따안
2. 4비트 - 딴-딴-딴-딴
3. 8비트 - 따따-따따-따따-따따
4. 16비트 - 다가다가-다가다가-다가다가-다가다가
5. 고고 리듬(주법) - (쿵쿵**따**리쿵쿵**따**리)
6. 룸바 리듬 - 닭(하나) 다리잡(둘) 고뜯어뜯어(셋넷)
   쿵따구다따 쿵따쿵따

4. 다음이 기대되는 수업의 마무리

4-1 헤어지는 아쉬움을 노래로

〈교가 1 '사랑해'〉

끝나기 5분 전 교가를 부른다. '사랑해'(김세환, 김희진 노래, 변혁 작곡)를 부르는데 큰 하트를 그리는 것으로 시작하여 가사에 어울리는 율동을 한다. '예예예~~~'부분은 겨드랑이 춤을 춘다. 등 근육이 당기도록 팔을 벌려 엄지 척하고 스트레칭하기도 한다.

2절 마지막 '사랑해' 부분에서 노래가 끝나자마자 '사랑해요'라고 말하며 스킨십을 한다. 스킨십에 대하여 잠시 이야기해 준다. 손을 잡았을 때의 느낌, 손을 잡으며 손등을 비볐을 때의 느낌 그리고 안아주었을 때의 느낌을 각각 다르다는 것을 말해 준다. 부르면서 시니어들을 만져주고 안아주면 사랑받고 존중받는다는 느낌을 갖게 된다.

누구를 사랑한다는 것은 행복의 정점인데 스킨십을 하면서 사람은 사랑을 표현하고 느낄 수 있다. 실제 이 노래를 부르면서 눈물을 흘리는 교장 선생님을 보았다. 눈물은 참 아름다운 정서의 표현이다. "여기에 나 혼자만 있으면 재미있을까요?" "없어요." "친구, 동료, 이웃이 있으니까 재미있는 거지요. 서로 사랑할 대상이 있을 때 더 행복해지는 거예요. 그래서 우리가 만든 교가 사랑해를 부르고 다 같이 하트하고 안아 줍니다~" "네~"

〈교가 2 '좋아졌네'〉

보편적으로 수업은 차시 예고로 끝이 나는데 나는 교가를 만들어 부르면서 끝낸다. '사랑해', '좋아졌네'를 부르기도 하고 행진곡을 듣는 와중에 차시 예고를 하기도 한다. 마무리를 위한 곡을 행진곡 포함하여 3-4곡 정도 준비해 두고 마무리에 다양하게 변화를 주자. 변화는 시니어들을 기대하게 만든다.

'좋아졌네'(리씨스터즈 노래, 이진호 작사/작곡)를 부르고 곡이 끝나자 마자 엄지 척 '좋아졌어'라고 서로 웃으며 인사하기로 한다. 때에 따라서는 강사가 개인 연주를 들려주어 수업을 끝낼 수도 있다.

〈교가 3 '우정'〉

가사를 밝게 개사하여 불러보자. (곡: 이숙 노래, 길옥윤 작곡)
학원→ (기관 이름), 하늘→ 힘차게, 행운→ 건강, 친구→ 깜부. 가사만큼이나 서정적이고 긍정적인 기분으로 마칠 수 있다. '우리들의 우정을~'부터 가슴에 손을 터치(3회, 왼쪽에서 오른쪽)하고 손뼉(1회)을 친다. 다음은 반대 방향으로 한다.
* 깜부: 친한 친구, 동반자, 짝꿍의 뜻. '깜보'라고도 한다.

첫인사와 마찬가지로 마무리 인사도 밝고 활기차게 하고 나와야 한다. 수업 중에 웃기고 오두방정을 떨었다 하더라도 공손하고 깍듯하게 인사하여 좋은 인상을 남겨 주자.

〈교가 4 '내게 강 같은 평화'Peace like a river〉

'사랑해 당신을' 곡을 시니어들이 가슴 따뜻한 노래로 좋아하듯이 이 곡 '내게 강 같은 평화'Peace like a river이 교회학교에서부터 불리는 노래로 유명하다. 영어유치원에서도 영어로 배워 발표하기도 하고 연예인들도 가끔 불러 일반인에게도 친숙할 수 있는 곡으로서 시작 혹은 마무리 곡으로 사용할 수 있다. 가사가 쉽고 좋으니 가사에 맞게 율동을 만들어 보자. 기독교 관련 기관이라면 좋아할 것이다.

내게: 가슴에 두 손을 모은다.

강 같은 평화: 두 손으로 왼쪽에서부터 오른쪽으로 물 흘러가는 모습을 표현

넘치네: 손을 반짝반짝 하면서 가슴 앞에서 원을 그린다.

사랑: 하트 그리기

샘솟는: 손바닥을 위로 향하고 양손을 번갈아 가며 오르락내리락한다.

4-2 아무 말 대잔치?!

간단한 노래와 함께 폭탄 장난감을 이용한 폭탄 게임을 하면서 재밌게 마무리 시간을 가진다. 폭탄 장난감을 돌려가면서 아무 말이나 하고 옆 사람에게 계속 전달하는데, 초시계 소리가 1분 동안 들리다가 누군가에게 가서 터진다. 꽝! 시니어들이 긴장하다가 웃는다. 1분 뒤에 새해를 알리는 시계 소리 영상이 유튜브에 있으니 활용해 보아도 좋겠다. 화면에 보이는 시계 소리를 들으며 '아무 말 대잔치'를 한다. 1분 후 팡파르가 울린다.

4-3 여운이 남는 정리타임

'또 만나요'(딕패밀리 노래, 오세은 작곡)를 자유롭게 따라 부르도록 하며 마무리하고 인사한다. 수업이 끝나도 어르신들이 아쉬워하고 자리를 뜨기 싫어하는 경우가 많은데 나는 정리할 때 화면에 노래를 띄워놓고 수업이 끝났음을 알리면서 자연스럽게 짐을 정리한다.

잘 갖춰진 센터가 아니라면 악기나 소품 등을 들고 다니기 때문에 짐이 꽤 있는데 내 정리하는 모습에 너무 집중하지 않도록 그리고 즐거운 분위기 이어가도록 음악을 틀어 놓는다. 시니어들이 따라 부르다가 짐을 들고나갈 때 끄면 아쉬워하고 다음에 꼭 오라고 이구동성으로 외친다.

PART 4

음악 스토리텔링

1. 음악 스토리텔링의 의미와 효과

처음에 30초를 웃으면 30m 달리기를 한 것과 같다 하기에, 달리기나 수영이 어려운 시니어들에게 웃음으로 횡격막과 폐활량을 늘리는 훈련이 되도록 하기 위해서 웃음 음악을 고안했다. 시니어들에게 웃기는 이야기와 유쾌한 노래로 즐거운 기분이 들고 크게 웃으시도록 해 드렸다. 억지로라도 웃으면 마음에 서서히 웃음이 만들어지니까.

그러다가 감정이 메말라가고 무덤덤해지는 노년의 시니어들에게 감정의 표현과 조절을 연습하기 위한 방편으로 음악을 활용해 보았다. 슬픔과 서운함, 억울함의 감정들을 가지고 있는 시니어들에게 그 감정을 대면하고 다룰 수 있도록, 그리고 좀 더 가벼운 마음으로 살아가기를 원하는 마음에서 울음 음악을 생각해 내었다. 이 모두가 감정의 정화를 위한 것이다.

인생은 수많은 즐거웠던 시간들과 힘들고 외로웠던 시간들로 이루어진다. 즐거웠던 시간들을 더욱 추억하고 아프고 지우고 싶은 시간들을 정리해서 잊는 것이 지혜로운 일일 텐데, 음악 활동을 통해 함께 이야기함으로 건강하고 당당하게 내 안에서 정리되기를 바라는 마음에서 음악 스토리텔링을 구성했다.

살아온 인생을 추억하게 하고 그동안 쌓아 두었던 부정적인 감정들을 마주하면서 이제는 완전히 해결하겠다 하고 결단하는 시간을 제공한다. 미워하고 스트레스받으며 사는 방식이 그동안 우울과 무기력과 병을 키운 걸 인정하고, 이후로는 훌훌 털어버리고 즐겁게 남은 삶을 살겠다고 다시 한번 마음먹는 유익하고 즐거운 시간이 되리라 믿는다.

음악 심리학에 기반하여 흥겨운 웃음 음악과 차분한 울음 음악을 스토리에 곁들여 감정을 표현하고 조절하면서 스트레스를 날려 버리고 나면 마음이 평안해지는 것을 느끼게 된다. 시니어들이 굉장히 감동을 받고 좋아하신다.

웃음 음악을 1시간 수업(웃다 보니, 흥부자) 하고 다음 수업 시간에 잠깐 복습 후 울음 음악으로 들어가면 적당하다.

웃다보니 →	**흥부자 →**	**타이타닉 영상 →**	**보라빛 엽서 →**
웃음 이론	실생활 적용	울음 이론	감정이입 가창
웃음=운동	신나게 살자	울음의 종류	우는 흉내

어느 60대 노부부 이야기 →	**'우지 마라' →**	**위로 박수 →**
사별의 울음	도입: 서럽고 억울한 울음1-36초	자기 위로와
감정 고조	전환: 37-51초	자기 칭찬

휴양림 스트레칭→	**개그콘서트→**	**환희의 송가→**	**소풍가는 인생**
평안한 마음	마인드컨트롤	마인드컨트롤	상쾌한 마무리
	다지기 6분	결심 1분	

2. 웃음 음악

웃음소리가 나오는 영상을 준비한다. "여봐라! 이리 오너라~ 내가 왔다. 하하하하하하하~" 웃을 때 구호를 넣어 외쳐 본다.

일 : 일단 한번 웃어봐 "아하하하하하"

이 : 이왕이면 크게 웃어봐 "으하하하하하하하"

삼 : 삼세판 한 번 더 호탕하게 웃어봐 "호하하하하하하하"

웃을 때 자신의 배를 만져 보도록 하고 횡격막을 가르쳐 준다. 울음 음악을 시작할 때도 우는 시늉할 때 똑같이 횡격막이 움직이는 것을 확인시켜준다. 즉 웃는 것(웃음)과 마찬가지로 우는 것(울음)도 운동이 된다는 뜻이다. 폐운동, 내장 운동. 함께 하는 시니어들이 모두 신기해하며 고개를 끄덕거리고 적극적으로 활동에 임한다.

* 손 대신 우드스푼을 이용해 웃음 게임을 진행할 수도 있다.

처음엔 느리게, 두번째는 빠르게 한다.

8번 치고 8번 웃고, 4번 치고 4번 웃고,

2번 치고 2번 웃고, 1번 치고 1번 웃고, 2초간 호흡정지!

* 웃음 게임에서 마지막에 실수를 해서 많이 웃는데 벌칙을 주면서 재미있게 진행해 보자.

(웃음 = 운동: 한 번 크게 웃기 = 윗몸일으키기 25회

10초 동안 웃기 = 노젓기 3분, 15초 박장대소 = 100m 전력 질주)

소고 웃음 게임 　　　　　　　　　　　　　　　웃다 보니

웃음 게임을 연습하였으면 노래를 부르며 적용하여 보자. 소고 소리가 크고 웅장하여 분위기가 밝고 좋다. 즐겁게 노래(서희 노래, 김정기 작곡) 부르다가 간주 부분에서 소고/우드스푼를 연주한다. 강사가 크게 움직이고 부르면 모두 일사불란하게 따라 하며 활기차게 부르신다. 마지막 부분에서 강사가 크게 웃고 음악이 멈춰도 강사가 크게 웃어주면 시니어들은 절로 계속 웃게 된다.

1, 소고를 8번 친 다음 하하하하 8번 웃는다.
2. 소고로 4번 친 다음 하하하하 4번 웃는다.
3. 소고로 2번 친 다음 하하 2번 웃는다.
4. 소고로 1번만 친 다음 바로 “하” 하고 웃는다.

〈응용: 가사 웃음소리에서 율동하기〉

- 하하하하 (배를 치며 부른다)
- 헤헤헤헤 (가슴을 치며 부른다)
- 호호호호 (입에 손을 대며 부른다)
- 후후후후 (입에 손을 대어 후~하고 길게 분다)

* 서영춘의 ‘시골 영감’(서울구경)도 원 없이 웃으며 불러보자.

백업봉 운전 댄스 흥부자

제주도 여행길을 시작으로 제주도에 도착하여 해안 도로를 시원하게 달리는 상상을 하며 '흥부자'(김양 노래, 김지환 작곡)를 부른다. "난/이제/스트레스/날려/버리고/흥겹게/살 거야!!!~~" 이렇게 외치면 음악이 나간다. 전주와 간주에서는 백업봉을 양 끝을 잡고 허리를 흔든다. 백업봉 끝을 양손으로 잡고 왔다 갔다 하며 지압을 하기도 한다. 세로로 세워서도 해 본다. 백업봉을 좌, 우, 위로 반짝반짝 빠르게 움직인다. (양손 교대로)

1. 노 젓는 배(좌 4/우 4번): "스트레스 쌓이면…"부터 "즐겁게 살아갑시다"까지
2. 백업봉을 구부려 만든 핸들을 운전하며 노래하되 어깨도 바운스 하며 리듬을 탄다.
3. 자전거(해안 도로 달리기)
   다리를 들어 페달 밟기(빠르게, 느리게)
4. 경운기(선택)
5. 하나, 둘, 셋, 넷 백업봉을 한 손에 들고 흥부자! 하고 외치기

* 마지막은 하나둘셋넷 구령을 붙이면 "흥부자!" 라고 외친다.
* 취향에 따라 오토바이 비행기, 경운기 등을 넣을 수 있다.

3. 울음 음악

울음도 운동이며 정서적으로 유익하다. 영화 '타이타닉'의 배가 가라앉는 장면에서 아이랑 대화하는 엄마, 손을 꼭 잡고 죽음을 기다리는 노부부 등의 장면을 보여 준다. 영화 내용을 간략하게 설명해 준다. '내 주를 가까이'를 틀어주어도 좋다. 이 곡은 찬송가인데 이 영화에서 악단이 연주하던 곡이다. '마음이 슬퍼서 울고 싶을 때 엉엉 울어 해결된다면 얼마나 좋을까요?'

이렇게 울음 음악으로 전환하면 분위기가 숙연해지는데, 음악 심리학적으로 흥겨운 음악 뒤에 슬픈 음악을 선택하면 더욱 감성적인 된다. 울 땐 울어야 건강해져요. 어떤 울음이 있을까요?

울음 음악 1 보라빛 엽서

슬픔과 기다림의 정서를 노래를 통해 감정이입이 되면 똑같이 느끼게 된다. '보라빛 엽서'(설운도 노래/작곡)를 부르면서 사랑하는 이와의 이별 또는 기다림, 그리움을 느끼고 표현해 보자.

울음 음악 2 어느 60대 노부부 이야

과거 회상과 보냄의 울음도 있다. 영원한 이별을 노래한 '어느 60대 노부부 이야기'(김광석 노래, 김목경 각곡)도 감동적이라 좋아들하니 불러보자. 눈물 흘리시는 시니어들이 종종 계신다.

울음 음악 3 "나 지금 기분 나쁘거든!" 우지 마라

서운하고 화나고 억울한 일을 많은 겪은 시니어들의 마음도 읽어준다. "무조건 참고 살아오셨죠? 우는 것도 웃는 것만큼 중요한 거예요. 저는 이렇게 울어요. 엉엉… 5초간 한 번 울어봅시다." 아래 말과 동작을 설명하고 연습 후 '우지 마라'(김양 노래, 홍진영 작곡)를 부르면서 스트레스를 해소해 보자. 음악을 들으며 '아무 말 대잔치'를 시작한다(시작~36초). 37초부터 분위기가 전환된다. 양손을 강하게 앞뒤로 털다가 원을 크게 그려 털어버린다. 강사가 리듬에 맞춰 신나게 몸을 흔들며 털면 모두 댄스타임처럼 신나게 하신다. 속 시원하다는 분도 계신다.

서운하고 화나는 일을 떠올리며 아무 말이나 동작을 곁들여 해 보자.

1. "야, 이 배은망덕한 놈아~"
   뒤통수/뺨을 때리는 시늉을 한다.
2. "내가 못 살아~, 너 때문에~, 하늘이 가만두지 않을 거다."
   바닥/가슴을 치는 시늉을 한다.
3. "내 탓이다~, 내가 미안해~"
   가슴에 손을 댄다.
4. "잊어야지~, 용서하자~, 잘 살아라~" (37~51초)
   머리를 흔들고 손을 털거나 날려버리는 시늉을 한다.

서운한 감정 다 버리고 사랑하며 살기로 해요~ 이제 다 용서했어요! 평안하죠? 나를 위로하고 칭찬하는 박수를 배워 봐요~

〈셀프 위로와 격려 ♥ 칭찬과 존중 박수〉

1. 양손으로 양어깨를 토닥토닥---'미안해 미안해' 짝짝
2. 양손으로 머리를 쓰담쓰담-----'괜찮다 괜찮다' 짝짝
3. 양손으로 엄지 척 -----------'잘했다 잘했다' 짝짝
4. 양손으로 앞가슴을 토닥토닥---'사랑해 사랑해' 짝짝

* 두 번씩 짝짝—한 번씩 짝 ' '전에 이름을 1번 불러 준다.
* 유튜브를 참조해 변형

셀프 존중 박수가 끝남과 동시에 "당신이 최고야!"라고 외친다. 자존감이 높아질 것이다. 다음 단계인 휴양림 기 스트레칭을 이어갈 수도 있고 아니면 상황과 여건 때문에 마무리를 해야 한다면 '이제 우리 행복하게 살아요~'하면서 "당신이 최고야"/"소풍 가는 인생"을 부르며 마친다.

휴양림 기 스트레칭 How can I keep from singing?

스트레스를 버리면 마음이 평안해져요. 평안한 마음을 깊이 느껴봅시다.

1. 눈을 지그시 감고 좋은 공기를 들이 마신다.
2. 양팔을 올려 들이마시고 내쉰다.
3. 양팔로 동그라미를 크게 그리며 숨을 들이마신다
   산림 속의 좋은 기운을 받아들인다고 생각하고 (4회 반복)
4. 양팔로 자신을 꽉 껴안는다.
5. 껴안은 상태에서 양팔을 다독거리며 말한다.
   "OO아! 사랑해~" (살아있는 것만으로도 귀한 존재야)
   "OO아! 잘했어~" (그동안 수고하고 애썼어)
   "OO아! 미안해~" (다 못해줘서 미안해)
   "OO아! 고마워~" (건강하게 지금껏 살아있어줘서 고마워)

시니어들이 이 코너에서 많이 감동하고 울컥한다. 스스로에게 진심을 다한 결과라고 생각한다. 진심은 치유를 가지고 온다. 끝나고 나갈 때 고맙다고 두 손을 꼭 잡는 분들이 많다…

마인드 컨트롤 1 감사합니다(개그콘서트)

마인드컨트롤(Mind Control)은 심리학 용어로, 자기통제/암시를 뜻한다. 유행했던 개그콘서트의 한 코너를 응용해서 긍정적인 표현으로 마인드컨트롤 연습을 하자. 밝아지고 평안한 마음을 한 번 더 재미있게 다진다.

1. 양손의 주먹을 쥐고 돌리면서 리듬을 탄다.
2. 리듬을 타면서 다음과 같이 말하며 시작한다.
   "감사합니다" ~ "행복합니다" ~ "사랑합니다" ~
3. 박자에 맞게 우드스푼을 치면서 말해도 좋다.

강사의 경험담으로 다음과 같은 이야기를 만들었다.

"감사합니다 감사합니다~
어제는 쉰김치를 쫑쫑 썰어서 / 부침개를 맛-있게 먹-었는데
갑자기 배아프고 설사도하고 / 머리아파 끙끙앓고 누워있는데
아내가 약국가서 약을 사왔네 / 지금은 싹-다- 나았습니다.
감사합니다 감사합니다
지금은 이것저것 먹을 수 있어 / 감사합니다 감사합니다.
마-누-라 한테도 감사합니다 / 사랑합니다! 행복합니다!~"

시니어들에게 다가가면 감사합니다~사랑합니다~ 따라 하신다. 좀 더 이어 간다.

마인드 컨트롤 2 환희의 송가

베토벤의 합창교향곡 중 '환희의 송가' 테마(1분)에 맞춰, 가슴에 손을 얹고 반은 '행복'이란 단어로만 부르고, 두 손을 모으고 반은 '감사' 단어로 끝까지 불러보자! 감사하고 행복하게 살겠다는 결심의 시간이다. '고난'이 왔다면 "이 또한 지나가리라"는 긍정적인 마인드로 행복과 감사로 자기 암시를 늘 해보자.

시니어들에게 힘과 희망을 주는 말들을 하면서 수업을 해 나가면, 시니어들이 좋아하고 고마워하시며 적극적으로 수업에 참여하신다.

김형석 박사(철학자)가 97세에 쓴 '100세를 살아보니'란 책이 있다. 현재 105세인데 여전히 강연, 저술 활동을 하신다. 이 책에 "…60에서 80까지였다. 그때가 제일 건강하게 일 많이 했다. 계속해서 공부했다…"라는 글귀가 있다.

인생에 있어서 전성기가 20대-30대 혹은 성공한 40대인 줄 알았는데 60-80세이라는 것, 나의 무거운 짐, 가족부양 등을 내려놓고 나만의 인생에 돌입해보니 참 행복했다는 것, 그런데 지금도 괜찮다는 것. 이 분의 마인드로 우리 강사들이 일하고 시니어들에게도 힘과 희망을 나눠줄 수 있으면 좋겠다.

"자기의 청춘을 노년이 되어 비로소 경험하는 것 같은 사람들이 있다." -파울-

웃음으로 전환 음악 　　소풍 가는 인생

'소풍 가는 인생'(추가열 노래/작곡)을 박수 치면서 흥겹게 부르며 즐거운 분위기로 마친다. 원래 통기타 가수의 곡이라 노래가 신나고 쉬워서 부르기가 좋다.

이 곡은 악기 연주하는 활동을 넣어 불러도 신난다. 기타 치는 흉내부터 시작하자. 소고나 우드스푼을 사용해서 부르면 더욱 흥이 난다. 시간과 분위기를 고려해서 강사 재량껏 요리하면 된다. 댄스 두 스푼, 악기 한 스푼, 약불, 중불, 강불, 뜸 들이기, 전채요리, 코스 요리, 식후 디저트 등 음악을 활용한 인생 스토리텔링도 요리 개념으로 생각해서 만들어 보았다.

미술, 교구인지와 체육도 주제를 정하면 그 흐름대로 스토리텔링을 만들 수 있을 것이다. 강사의 창의성과 열정이 필요한 작업이고 전문성과 경륜이 드러나는 작업이라 쉽지만은 않지만, 즐거운 마음으로 구상해 보자.

PART 5

미술과 음악 융합 수업

시니어 수업도 융합교육(학제간 교육: 미술과 음악이 분리되어 교육 내용이 제시되는 것이 아니라, 여러 영역이 동시에 제시되고 하나의 주제로 모아서 교육의 목표를 효과적으로 달성하기 위한 것)이 적용된다. 융합 수업은 미술활동의 배경 음악으로 음악을 사용하는 방법, 본 수업 전후로 음악 퀴즈나 활동을 삽입하는 방법, 노래의 가사에서 소재나 주제를 얻어 미술 작품으로 만들고 노래를 함께 부르는 방법 등이 있다. 해변 노래에서 해변 관련 소재(비치공, 조개, 모자, 비치샌들 등)를 떠올려 만들고 함께 부르거나 감상하는 것이다. 여섯 자녀를 아동기에 홈스쿨링으로 키우면서 활용한 이 방법은 정말 즐겁고 교육적으로 효과적인 방법이다.

미술수업도 스토리텔링이 가능하다. 미술은 그리기, 붙이기, 만들기, 감상 등 다양한 활동이 있기 때문에 소재와 방법에 따라 멋진 인생(특정 주제의) 스토리텔링이 만들어질 수 있을 것이다.

미술 강사들이 음악을 수업에 활용한다면 신선해서 인기를 끌 수 있을 것이라 생각한다. 음악 강사가 댄스, 레크리에이션, 마사지 등 음악 고유의 영역(가창과 감상 및 연주)을 넘어선 수업으로 인기를 얻고 있듯이 말이다.

텔레파시 그림

전원일기 오프닝 음악

음악 감상 수업에 베토벤 '전원 교향곡'을 듣고 떠오르는 것을 그리는 활동이 있다. 클래식이나 트롯을 들으며 연상되는 것을 그린다. 시니어들에게는 클래식 대신 국민드라마 '전원일기'의 오프닝 음악을 들려주었는데 너무 큰 소리로 답을 외쳐서 놀랐다. 들으며 생각나는 단어를 도화지에 쓰고 한 가지만 그림을 그리라고 한다. 인원이 많을 경우 색연필 한 색만 나눠주고 한다. 고추, 막걸리, 소, 논, 밭, 산, 냇가에서 그물치고 물고기 잡기 등이 나올 것이다.

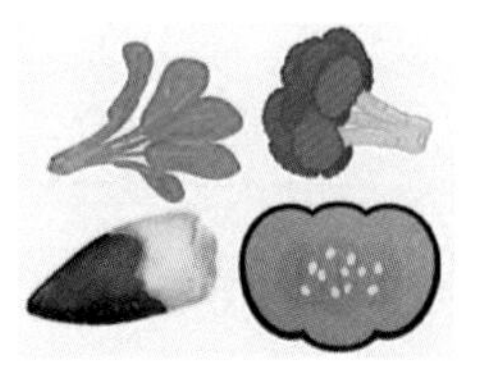

미술강사들은 주 활동보다는 오늘 활동의 도입부나 주작품이 끝난 후 시간에 남을 경우에 음악과 접목한 활동으로 간단히 해 보면 재미있어 할 것이다.

강사랑 같은 그림을 그린 사람에게 선물을 줄 수도 있다. 시니어들의 그림을 확인하고 같은 종류의 그림을 그린 사람은 정서가 비슷한 사람임을 얘기해 준다. 이 분류로 팀을 짜서 그다음 활동을 이어갈 수도 있다. 시간을 절약하려면 그림을 그리지 말고 말로만 묻고 확인할 수도 있다. 추가열의 '소풍 가는 인생'을 들으며 혹은 부르며 그리는 것도 좋을 것이다.

훌라훌라~

진주조개잡이(해변 영상)

비치샌들 만들기 수업의 후속 활동으로 신을 신고 훌라춤을 춰보자. 시원하고 자유로운 해변을 연상하면서 유명한 '훌라'(춤추다는 뜻)을 신나는 노래와 함께 추면 더위가 싹 가시는 느낌이다. 이 민속춤은 저자가 강조하는 '연상법을 이용한 댄스' 구상에 아주 적합했다. 직관적이어서 쉽고 재미있다. 하와이어 "알로하"(안녕, 사랑이란 뜻)로 먼저 인사하며 시작한다. 얼굴에 미소를 띠고 우아하게 춰보자.

양손을 가슴 높이로 들고 손바닥은 바닥을 향하게 한다. 손과 손 사이는 주먹 하나가 들어갈 정도로 비워준다. 손가락은 붙여주고 엄지는 손에 감춰주고 (팔 전체를 움직이는 게 아니라) 손목 스냅을 이용해서 그림을 그리듯이 7가지 동작을 표현한다.

1. 진주조개: 손을 한 바퀴 돌려 손 사이를 꼭 붙여서 오므려준다. 엄지와 검지를 붙이듯 하는데 엄지를 내려준다.
2. 나무: 한 손은 가로로 눕히고, 한 손은 그 위에 세로로 얹어주어 살랑살랑 움직여 준다.
3. 태양: 양 손을 배 앞에 모았다가 위로 동그라미를 크게 그리

며 팔을 올려 준다.

4. 물고기: 엄지손가락을 제외한 네 손가락을 붙여주고 양손을 서로 포개서 부드럽게 움직여 준다.

5. 파도: '넘실넘실'거리는 파도를 표현하는 동작이다. 앞쪽에서 동그랗게 말아주었다가 손바닥이 보일 듯 위로 올려주면서 오른쪽에서 다시 굴려주어 파도 모양을 만들어 준다.

6. 사랑한다: 양손을 가슴에 모아주고 다시 입가에 모아주면서 양팔을 펼치는 동작을 한다.

7. 키스 보내기: 왼팔을 귓가에 스쳐 위로 쭉 뻗어 주면서 오른손의 검지와 중지를 모아 입가에 대며 키스를 보내는 동작이다.

8. 태양(사랑하는 이) 보기: 왼팔을 사선으로 쭉 뻗고 눈은 왼손 끝을 바라본다. 오른손을 경례하듯이 오른쪽 눈 옆에 둔다.

* 노래에 맞춰 훌라춤을 출 때 '오션드럼'을 다 같이 돌려가면서 파도 소리를 표현하면 훨씬 현장감이 있을 것이다.

* 캠프송으로 많이 불리는 윤형주의 '조개껍질 묶어' 노래를 다 같이 부르며 마친다.

* 시니어들이 자유롭게 춤을 출 때, 강사는 발 동작을 하면서 추면 훨씬 생동감이 있다. 세 가지 동작만 익혀 보자.

1. 카홀로: 발을 좌우로 투 스텝씩 움직이는 동작
2. 카오: 골반을 좌우로 움직이는 동작
3. 헬라: 한쪽 다리에 힘을 주고 다른 쪽 다리를 사선으로 뻗어주는 동작

춤추는 경찰관

This world today is a Mess

미술 수업으로 색안경(선글라스) 만들기를 하고 후속 활동으로 적용해 보면 좋을 것이다.

신나는 'This world today is a Mess'를 들으며

1. 앉은 상태에서 엉덩이를 좌우로 움직이며 실룩거린다.
2. 만든 색안경을 낀다.
3. 교통순경이 되어 음악에 맞춰 교통 수신호를 보낸다.

* 음악이 끝날 때까지 엉덩이춤은 멈추지 말고 계속한다.

안경을 쓰고 무표정으로 있다가 멋있게 시작한다. 못생긴 사람도 선글라스를 쓰면 멋있어 보이는 마법~ 이 마법으로 시니어들은 자신감이 생기고 자신이 마치 교통경찰이라도 된 듯한 느낌으로 당당하고 멋있게 춤을 추게 된다. 수신호가 음악에 맞춰 흔들며 완전 댄스처럼 보인다. 조금 변형을 줘도 좋다.

가면무도회

터치 바이 터치(Touch by touch)

가면 만들기 수업의 후속 활동으로 해 볼 수 있는 활동이다. 가면을 쓰면 달라 보이고 때로는 멋져 보이는 효과를 이용하자. 쑥스러워서 춤출 때 쭈뼛거리는 사람들이 있다. 시니어들은 더욱 그렇다. 엉덩이로 이름 쓰기 할 때 얼마나 부끄러워하는지…

가면무도회는 이런 부끄럼 많이 타는 시니어들을 위해서 과감하게 춤을 출 수 있도록 하기 위한 시도이다. 의상과 가면은 사람들에게 자신을 살짝 감추게도 해주고 대범하게 새로운 시도를 할 수 있는 자신감을 제공한다. 비록 가면을 썼지만 자유롭게 자신을 표현해 보도록 유도하는 장치다. 막춤도 어려워하시는 분이 계시다면 강사가 재미있게 이끌어 보자. (3-1 참조)

1. 만든 가면을 쓴다.
2. 나만의 막춤을 춘다.

* 음악이 끝날 때까지 가면을 벗으면 안 된다.

모자 퍼포먼스

천년지기(디스코)

멋진 입체 모자 작품을 만든 후 '모자 퍼포먼스'를 하는 음악 활동이다. 자신이 만든 작품을 쓰고 시작한다. (곡: 유진표 노래, 김정호 작곡, 정동진 작사)

* 스텝 & 손 머리 위 박수 (전주-간주)
1. 사이드 스텝 & 양팔 벌려 어깨동무 (8마디씩)
2. 하늘을 향해 펀치 (모자 들고) (8마디씩)
3. 사이드 스텝 & 양팔 벌려 어깨동무 (8마디씩)
4. 스텝 & 양손을 들었다 놨다 (양손 일어나) (8마디씩)
5. 하늘을 향해 펀치 (모자 들고) (8마디씩)
6. 스텝 & 암컬(아령 운동하듯이) (8마디씩)
7. 사이드 스텝 & 스위밍(자유형 수영) (8마디씩)
8. 스텝 & 손 머리 위 박수로 마무리

자축 세리머니

대박 났네

오늘의 〈미술〉 작품을 만들고 자축하는 활동이다. 내가 만든 작품이 멋있고 스스로 만족스러워 밖에 내다 팔고 싶은 마음이 들 수도 있다. 작품이 팔려 대박 난다면 얼마나 좋을까 상상하면서 신나게 춤을 추어보자. 강사는 듬뿍 칭찬하여 고래(시니어)도 춤추게 해 보자. (곡: 김태곤 노래, 이승원 작사, 김기범 작곡)

1. 어깨춤을 덩실덩실 춘다
2. 오른손으로 물결을 만든다. 왼손으로 교대한다.
3. 양팔을 좌우로 벌려 물결을 표현하는 춤을 춘다.
   (강사가 멋지게 한 바퀴를 돈다)
4. 두 손을 잡고 머리 위에서부터 좌우로 흔들면서 내려온다.
5. 간주에서 어깨춤을 덩실덩실 춘다.
6. 오늘 만든 개인 작품을 들고 좌우로 흔들며 또는 높이 들어 자축하는 춤을 춘다.

PART 6

체육과 음악 융합 수업

시니어 수업도 융합교육(학제간 교육: 미술과 음악이 분리되어 교육 내용이 제시되는 것이 아니라, 여러 영역이 동시에 제시되고 하나의 주제로 모아서 교육의 목표를 효과적으로 달성하기 위한 것)이 적용된다. 앞서 수업 실제에서 인지와 체조, 마사지 관련 활동이 많이 제시되었다. 여기서는 공과 백업봉 등 도구를 이용한 체육 활동들 중에서 시니어들이 좋아했던 것들을 다루었다. 실제 체육강사들은 훨씬 다양한 운동 도구를 구비해서 활동하는 것으로 알고 있다. '소재'나 '주제' 혹은 '도구'를 정해 어떤 융합 수업을 할 수 있을까 생각해 보자.

체육과 음악의 융합 수업은 모든 체육활동의 배경 음악으로 음악을 활용하는 방법, 본 수업 전후로 음악 퀴즈나 활동을 삽입하는 방법, 노래 가사나 리듬에 맞는 동작을 구상하여 체육활동에 활용하고 함께 노래를 부르거나 감상하는 방법 등이다. 여섯 자녀를 아동기에 홈스쿨링으로 키우면서 활용한 이 방법은 정말 즐겁고 교육적으로 효과적인 방법이다.

체육 강사들이 음악을 수업에 활용한다면 신선해서 인기를 끌 수 있을 것이라 생각한다. 음악 강사가 댄스, 레크리에이션, 마사지 등 음악 고유의 영역(가창과 감상 및 연주)을 넘어선 수업으로 인기를 얻고 있듯이 말이다.

스틱 응원댄스 　　　　　　　　　　　　　　　월드컵 송

준비물: 리듬스틱/백업봉/맨손

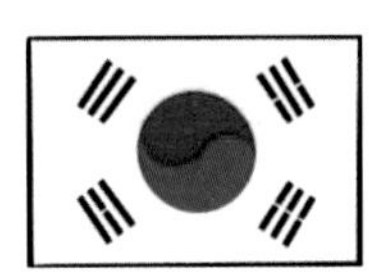

2002년 월드컵을 추억하며 굉장히 즐겁게 부르시는 곡(클론 노래, 김창환 작곡)이다. 센터가 들썩이며 모든 직원이 참여하게 되는 신나는 곡이다. 준비는 발뒤꿈치를 들었다 놨다 한다. 전주와 간주 부분은 씩씩하게 걷다가 노래가 나오면 1단계부터 시작한다.

1. 배-빵빵빵빵×2 야야야 할 때 손을 들고 흔든다.
2. 무릎-팍팍팍팍×2 야야야 할 때 손을 들고 흔든다. (2회)
3. 오른쪽부터 리듬스틱으로 교차하여 16회 리듬을 친다.
   (오/왼 각각 16회)
4. 리듬스틱으로 시계방향과 반대방향으로 원을 그리며 친다.
5. 리듬스틱으로 '2/3/4/2 응원리듬'을 자유롭게 표현하기

* 1-2-3-4-5-1-2-3-4-씩씩하게 걷기
* 마지막~~하나, 둘, 셋, 넷! 구령을 붙이면 손을 뻗어 "야!"

응원 놀이 　　　　 내 고향 충청도

옛 음악 교과서3-3에 나오는 서정적인 곡으로 수업을 한 후에 신나는 '내 고향 충청도'(조영남 노래, Banks of the Ohio 개사)를 가지고 분위기 전환을 하는 데 썼던 곡이다. 한화이글스 응원곡이다.

1. 공/백업봉/우드스푼으로 자유롭게 박자를 맞추며 노래한다.
2. 수건 돌리기, 끝말잇기, 노래방 놀이 등이 가능하다.
   (노래방 놀이: 팀을 나눠 노래를 듣다가 갑자기 멈추고 다음 소절을 물어본다. 시니어들이 답하면 다시 이어서 들으며 노래를 부른다. 어르신들이 좋아하고 잘 아는 노래를 선곡한다.)
3. 백업봉, 리듬스틱, 스카프 등 다양한 도구를 이용하여 응원단장 놀이를 할 수 있다.

3. 양손으로 배를 16비트로 빠르게 치면서 노래한다. 첫 박에 강세를 주어야 리드미컬하다. 가사에서 긴 박(때, 와, 곳, 골…)에 쳐야 힘들지 않고 재미가 있다.

*'일사 후퇴 **때** 피난 내려**와** 살다 정든 **곳** 두메나 산**골**…'*

* 멜로디와 가사 인지를 위해 끝말잇기 놀이를 첨가해도 좋다.

스포츠-생활댄스 원 웨이 티켓One Way Ticket

사랑하는 사람이 떠나고 있어서 나는 우울한 기분을 느낀다는 가사의 곡이다. 편도 티켓One way ticket을 가지고 우울이라는 곳으로 떠나려고 한다는 뜻을 가졌는데, 편도 티켓이라 말한 건 외로움과 상실이라는 그 우울감에서 다시는 돌아올 수 없다고 믿기 때문이다. 신나는 음과는 달리 슬픈 가사인데, 시니어들의 일반적인 상황과 유사하다는 생각도 든다. 신나는 음악과 함께 우울감을 털어내어 버린다는 기분으로 음악을 들으며 힘차게 활동해 보자. 인생은 생각하기 나름이니까.

스포츠 동작에서 시작해 중간에 일상생활 동작 댄스로 이어간다. 연날리기, 제기차기, 겨울철 눈싸움 등 놀이에서도 아이디어를 얻자. 눈을 뭉쳐 던졌던 눈싸움 표현할 때면 시니어들의 추억이 생각나서 웃으면서 한다. 강사가 리듬에 맞춰 종목별로 지정할 것. 음악이 나오면 1번부터 말하며 흉내 낸다.

1. 농구
2. 스케이트
3. 배드민턴
4. 골프
5. 축구
6. 손빨래
7. 설거지
8. 샤워
9. 요리
10. 낚시 등.

좌식 수영 차밍댄스 마리아 메렝게

'마리아 메렝게Maria Merengue'는 매우 경쾌한 라틴댄스음악(도미니카공화국)이다. 유튜브에서 '마리아 메렝게'를 선택하여 들어가면 라인댄스 영상이 많이 있다. 아내의 라인댄스를 보고 아이디어가 떠올라 만들었다. 신나는 음악에 동작이 장난스러워 재미있어하신다. 또 열심히 따라 하신다.

1. 어깨와 엉덩이를 좌우로 움직이며 수영복 입을 준비를 한다. 노래가 나오면 다음 2단계로 바로 넘어간다.
2. 몸의 좌우 라인을 양손으로 훑는다. (2회)
   (수영 모자까지 착용)
3. 수영에서 잠수 자세를 취하며 물속으로 들어가
   자유형 - 배영 - 평영(개구리) - 접영 헤엄을
   리듬에 맞게 표현한다.
4. 힘차게 걷는다.

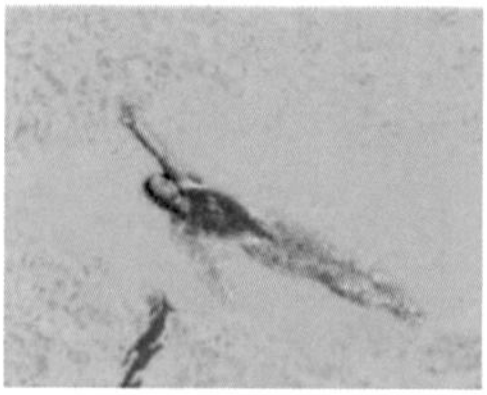

* 1-2-3-4-1-2-3-4- 반복한다.

* 마지막 부분은 크게 원을 그리며 숨쉬기로 마무리한다

공-마카레나 댄스 섬 마을 선생님(믹스)

한참 유행했던 마카레나 춤을 도현아가 부른 '섬 마을 선생님(믹스)'에 응용해서 추어 보자. (원곡: 이미자노래, 박춘석 작곡) 먼저 마카레나 춤 기본동작을 가르쳐 주고, 음악에 맞춰 다음 순서대로 춘다. 두 번째 부를 때는 공을 쥐고 해 보자.

1. 오른손 앞으로 내밀고 - 왼손 앞으로 내밀고
2. 오른손 머리 뒤에 붙이고 - 왼손 머리 뒤에 붙이고
3. 오른손 앞으로 내밀고 - 왼손 앞으로 내밀고
4. 오른손 배에 붙이고 - 왼손 배에 붙이고
5. 오른손 앞으로 내밀고 - 왼손 앞으로 내밀고
6. 오른손 엉덩이에 붙이고 - 왼손 엉덩이에 붙이고
7. 오른손 앞으로 내밀고 - 왼손 앞으로 내밀고
8. 막춤

* 1-2-3-4-5-6-7-8 반복
* 전주나 간주 부분은 리듬을 타며 막춤
* 다양한 공을 손에 쥐고 하면 지압도 되고 소근육 운동, 혈액순환에도 도움이 된다.

백업봉 발라드 댄스 위대한 약속

준비물: 백업봉

색색의 백업봉을 나눠주고, 발라드(리아킴 노래, 김종환 작곡)에 맞춰서 하는 일종의 체조를 해 보자. 늘 빠르고 신나는 노래만 하지 말고 가끔은 조용한 노래에 맞춰 활동하는 것도 괜찮다. 비가 오는 날에 해도 알맞다. 스트레칭을 한 것처럼 시원하다고 말씀하신다.

1. 백업봉 끝을 양손으로 잡고 위-아래-좌-우로 움직인다. (좌우로 할 때는 활을 쏘듯이 길게 쭉 뻗는다)
2. 백업봉을 목덜미에 대고 전-후-좌-우로 천천히 제친다.
3. 백업봉을 무릎에 대고 위로 올린다.
4. 백업봉을 발바닥에 대고 위로 올린다. (좌-우 따로)

워킹 비바체 댄스 　　　　클럽 음악

비바체는 음악에서 '아주 빠르게'란 뜻을 가진 음악 용어인데, 2분간 쉬지 않고 움직이는 활동에 도전해 보자. 유튜브에서 빠른 클럽 음악을 검색하여 맘에 드는 음악을 찾아 사용한다. 시니어들이 약간 힘들어 하긴 하지만 운동한다는 마음으로 열심히 하신다.

1. 양팔을 흔들며 아주 빠르게 걷기
2. 두 팔을 앞으로 뻗으며 안녕하기
3. 두 팔을 양옆으로 뻗으며 안녕하기
4. 두 팔을 양옆으로 뻗으며 엄지 척하여 빠르게 뒤로 넘기기
5. 걸으며 빠르게 박수하기
6. 걸으며 어깨 들썩이기
7. 걸으며 가슴을 폈다가 모으기
8. 걸으며 민요 춤추기

하체 댄스 Rivers of Babylon

널리 알려진 곡인 '바빌론 강가Rivers of Babylon'를 들으며 하체를 강화시키는 댄스를 해 보자.

1. 앞꿈치를 축으로 뒤꿈치를 들었다 놨다 한다.
2. 앞꿈치를 축으로 뒤꿈치를 좌우로 회전한다.
3. 뒤꿈치를 축으로 앞꿈치를 들었다 놨다 한다.
4. 뒤꿈치를 축으로 앞꿈치를 좌우로 회전한다.
5. 양발을 제기차기 하듯 하며 손을 발에 댄다
6. 발을 최대한 쭉 뻗어 든다.
7. 무릎을 배까지 올린다.
8. 발을 동동거리며 무릎과 허벅지 부분을 주먹을 쥐고 안마를 한다.

* 1번부터 8번까지 반복한다.

곤봉 댄스 아리랑 목동(코요테)

2002년 월드컵 시절 많이 듣고 불렀던 국민응원가 코요테의 노래 '아리랑 목동'(강사랑 작사, 박춘석 작곡)을 곤봉을 가지고 운동하면서 불러 보자.

1. 곤봉을 들고 오른손으로 왼쪽 위, 왼손으로 오른쪽 위를 교대로 리듬에 맞춰 대각선으로 찌른다.
2. 오른팔을 뒤로 젖혀 가슴 열고 곤봉 박수 2번, 왼팔을 뒤로 젖혀 가슴 열고 곤봉 박수 2번을 친다.
3. '아리아리 동동~' 양팔을 위로 들고 좌우로 흔든다.
4. 오른손에 쥔 곤봉을 4번 돌리고, 왼손에 쥔 곤봉을 4번 돌리고, 양손에 쥔 곤봉을 4번 돌린다.
5. 양손에 쥔 곤봉을 손뼉 치듯이 치며 걸으면서 종료한다.

* 전주나 간주 부분은 리듬을 타며 손뼉 치며 걷기
* 저렴한 플라스틱 곤봉이 많으니 구비해 두고 쓰면 좋다.
* 수업 전에 시설에 악기나 도구가 있는지 확인부터 한다.

공 스트레칭 그런 사람 없습니다

이승철의 '그런 사람 없습니다'(강은경 작사, 조영수 작곡)을 가지고 공 스트레칭을 해 보자. 목 돌리기도 하면서 공을 잘 들고 한참 스트레칭하다가 한 손으로 굴리기 시작하면 균형을 잃고 떨어뜨리는 분이 나온다.

1. 공을 양손으로 쥐고 앞으로 뻗는다.
2. 공을 양손으로 쥐고 왼쪽으로 뻗는다.
3. 공을 양손으로 쥐고 오른쪽으로 뻗는다.
4. 공을 양손으로 쥐고 머리 위로 뻗는다.
5. 공을 몸에 밀착하여 한 손으로 굴려서 이동한다.
   (왼쪽→ 오른쪽, 오른쪽→ 왼쪽)

* 이때, 몸에서 공이 떨어지면 벌칙을 주기도 한다.

* 최종 누가 남느냐? 그분에게 상을 준다.

* 공 스트레칭은 '바램, '별빛 같은 나의 사랑아' 곡에도 적용해 볼 수 있다. 책의 활동과 선곡은 절대적인 것이 아니라 독자가 재량껏 창의적으로 변형시켜서 활용하면 더욱 멋진 수업이 되리라 믿는다.

1. 댄스 스토리텔링

저자는 수업하면서 시니어들이 춤추는 것을 어려워한다는 것을 알게 되었고 어떻게 하면 쉽게 춤을 출 수 있을까 생각했다. 그래서 '쉽게 춤 잘 추는 방법 1, 2, 3단계'가 만들어졌고 시니어들이 굉장히 재미있어하신다.

수업을 1시간(주거니 받거니 스트레칭, 누드씨벌 스트레칭) 하고 다음 주에 기초랑 엮어서 댄스 스토리텔링으로 수업하면 좋을 듯하다. 동작을 살짝 변형(댄스화) 해서 하니 복습도 되고 좋다.

1단계 →	2단계 →	3단계
무릎 굽혔다 폈다 하기 몸 좌우로 흔들기	'주거니 받거니'	'누드씨벌'

1단계 곡 This World today is a Mess을 들으며 기초를 설명하고 익숙해지면, 2단계를 설명한다. 전에 '주거니 받거니 스트레칭'을 수업했다면 '주거니 받거니' 동작만 따와서 하는 것이라고 설명하면 이해가 더 쉽다. 3단계에서 "욕하는지 알고 깜짝 놀랐죠? '나는 춤을 못 춰'라고 말씀하신다면, 누드씨벌을 기억해요. 무릎을 굽히고 몸을 흔든 상태에서 누드씨벌만 기억한다면 춤을 잘 추는 사람으로 각인될 거예요." 시니어들이 얼마나 웃고 재미있어 하는지 모른다. 댄스타임을 한참 즐길 수 있다.

1단계: 춤의 기초 This World today is a Mess

기본 동작 두 가지로 신나게 시작하자. * 무릎이 키포인트다.

1. 리듬에 맞춰 무릎을 굽혔다 폈다 한다. (서서 할 경우)
2. 리듬에 맞춰 엉덩이를 좌우로 움직인다. (앉아서 할 경우)

* 시설의 구조와 시니어들의 상황에 맞춰 선택한다.

2단계: 주거니 받거니 This World today is a Mess

'18세 순이' (나훈아 작사/작곡/노래)로 〈주거니 받거니 스트레칭〉을 해 보자. 댄스 스토리텔링 전에/상관없이 개별적으로 할 수도 있는데, 미스터 팡의 '그대로 그렇게' (휘버스 노래, 정원찬 작곡) 곡에도 잘 어울린다.

1. 두 사람이 마주 보며 서로 백업봉 끝을 양손으로 잡는다.
2. 음악에 맞춰 오른손 밀어주고 왼손은 당긴다. '주고받는 동작'
3. 양손에 쥔 백업봉을 점점 위로 또는 점점 아래로 향하여 리듬을 타며 춤추듯이 신나게 움직인다.

댄스 스토리텔링에서는 이 '주거니 받거니 동작'만 사용한다. 즉 빈손으로 허공에 주고받는 제스처를 리듬에 맞춰서 한다.

3단계: 누드씨벌 This World today is a Mess

일명 "깜놀(**깜**짝 **놀**라는) 댄스. 줄임말을 설명해 주고 4가지 키워드로 몸치 탈출, 춤의 고수가 될 수 있다고 선전하자. 3-1에서 누드씨벌 댄스를 몸풀기, 스트레칭 관점에서 소개했었다. 여기서는 댄스의 관점으로 부드럽게 동작을 변형시킨다. 디스코 버전의 노래들로 바꿔서 계속 출 수 있다.

1. 누- **눌**러!
   양손으로 리듬을 타며 아래로 누르기(손을 교대로)
2. 드- **들**어!
   손바닥이 하늘로 향하여 들고 리듬을 타기
   손을 동시에 때로 교대로 바운스 바운스~
3. 씨- **씨**앗 뿌려!
   오른손 또 왼손으로 각각 리듬을 타며 씨 뿌리기 모양으로 팔 흔들기
4. 벌- **벌**려!
   두 팔은 벌려 손바닥을 바깥으로 향하고 리듬을 타기
   팔꿈치를 굽히고 양 팔을 위아래로 하면 더욱 멋있다.

* 전주나 간주 부분은 리듬을 타며 겨드랑이 춤을 춘다.

PART 7

특별한 절기

설날맞이

설날

어릴 때부터 부르던 '설날' 노래를 가볍게 부르고 우드스푼 본 수업으로 들어가자. 절기 노래들은 수업의 도입부에 넣어 분위기를 조성하고 본 수업을 또한 알차게 하자. 1절은 율동으로 2절은 우드스푼으로 연주해도 좋다. 2번을 부른다면 우드스푼 마사지(온몸)로 몸풀기를 할 수도 있다.

1. 까치 날갯짓/우드스푼으로 2비트 표현하기
2. 가슴 포개기/우드스푼으로 2비트 표현하기
3. 양손으로 크게 원 그리기/우드스푼으로 2비트 표현하기

* 가사에 맞는 몸동작을 표현해 보자.

속 보이는 어버이날

효도 좀 해라(트롯)

어버이날을 맞이해서 어버이들을 속마음을 속 시원하게 드러내는 노래를 불러 보자. 웃음이 팡 터지는 이유는 내 맘을 너무 콕 집어 표현했기 때문일 것이다.

최신 트롯 '효도 좀 해라'(염정민 노래/작사/작곡)는 어버이들을 속마음을 노골적으로 드러내는 가사가 핵심이다. 곡 중간에 '효도 좀 해라~!!'하고 생동감 있게 외치면서 불러 보자.

* 효도 좀 해라~

* 아! 좀 좀 좀 좀 !

* 노래 중에 점점 크게 외치기

* 마지막에 "OK" 외치기

* 곡이 끝난 후 요양보호사들과 함께 '어머님 은혜'를 MR반주에 맞춰 합창한다.
훈훈하고 감동적인 분위기로 마무리한다.

생일 축하 댄스

축하합니다 Congratulations!

생일자 축하를 하지 않는 시설이 많지만, 한 달에 한 번 생일을 맞은 분들을 몰아서 축하해 주는 시설이 있는데 그때 할 수 있는 활동이다. 마카레나 댄스로 축하 세리머니를 해 보자. 몸을 좌우로 흔들며 리듬을 타면서 하는 게 포인트다.

1. 오른손 앞으로 내밀고 - 왼손 앞으로 내밀고
2. 오른손 머리 뒤에 붙이고 - 왼손 머리 뒤에 붙이고
3. 오른손 앞으로 내밀고 - 왼손 앞으로 내밀고
4. 오른손 배에 붙이고 - 왼손 배에 붙이고
5. 오른손 앞으로 내밀고 - 왼손 앞으로 내밀고
6. 오른손 엉덩이에 붙이고 - 왼손 엉덩이에 붙이고
7. 오른손 앞으로 내밀고 - 왼손 앞으로 내밀고
8. 권총춤 (축하합니다!~) *생일자를 향하여*

* 1-2-3-4-5-6-7-8 반복
* 강사 폭죽을 준비해서 대상자 앞에서 터뜨린다. (권총춤)

소고 난타 십오야(디스코, 유지나 노래)

즐거운 명절엔 그에 맞는 분위기의 곡으로 시니어들과 즐기자. 강사의 지시에 따라 소고로 앞, 뒤, 모서리를 번갈아 빠른 4비트로 박자에 맞게 친다. 그 후에 '신고산타령(디스코 믹스, 장민 노래)'을 부를 때는 8비트를 섞어 강사가 크게/작게, 점점 크게/작게 요구하는 대로 표현한다. 모서리를 칠 때는 작게 치자.

추석엔 민요 춤을 사랑가/신만고강산

대부분의 시설에 소고는 갖춰져 있으니(미리 확인하고 수업을 계획한다), 장구 대신 소고를 이용하여 전통 무용을 한다. 강사는 장구를 사용하고 시니어들은 소고춤을 춘다. 약식 굿거리장단으로 시니어들이 여유를 가지고 춤을 출 수 있게 하자.

1. 덩 - 가슴 위치에서 친다
2. 기덕 - 얼굴 위치에서 친다
3. 쿵덕 - 머리 위치에서 친다
4. 민요 춤을 춘다(8마디)

* 1-2-3-4-1-2-3-4를 반복한다.

성탄절

징글벨

리듬악기로 즐거운 성탄절 분위기를 만들어 즐기자. 먼저 리듬막대로 징글벨을 연주한다.

1. 흰 눈 사이로~ (딱딱딱)
2. 썰매를 타고~ (딱딱딱)
3. 달리는 기분~ (딱딱딱)
4. 상쾌도 하다 종이 울려서~ (딱딱딱)
5. 장단 맞추니~ (딱딱딱)
6. 흥겨워서 소리 높여 노래 부르자 헤이! (딱)

* 후렴구는 한음 한음 부를 때마다 리듬막대로 표현하기

성탄절

고요한 밤 거룩한 밤

여러 악기로 합주하여 하모니를 이루는 멋진 경험을 해 보자. 9명 기준으로 핸드벨(도, 미, 솔 음정 각각 1음씩), 트라이앵글 3개, 공명실로폰(도, 미, 솔 음정 각각 1음씩)을 준비한다.

〈트라이 앵글〉 빨간색만 친다.

고요한 밤- **거**룩한 밤- **어**둠에 **묻**힌 밤-
주의 부모 **앉**아서 **감**사 기도**드**릴 때
아기 잘도 잔**다**- **아**기 잘도 잔**다**-

〈공명실로폰과 핸드벨 각각 3음〉
모든 음을 다 치지 않고 3음만 쳐도 화음 연주가 되어
듣기가 좋은 연주가 된다.

솔라솔**미** 솔라솔**미** 레레시 도도솔
라라도시라 솔라솔**미** 라라 도시라솔라솔**미**
레레파레시**도미** 도솔미 솔파레**도**

* 마지막 음은 도미솔 함께 연주할 것

PART 8

도입 활동 베스트 라빙수 *31*

강사는 수업의 첫 5분이 중요하다. 명랑하고 밝은 인사는 기본이고, 흥미 있고 궁금한 활동을 초반에 소개하면 엄청난 기대감으로 수업의 몰입도가 높아진다. 많은 강사들이 3개월이 지나면 조금씩 내용에 신선도가 떨어지고 식상해지기 시작한다. a 맛집이 시그니처 메뉴를 유지하면서도 다양한 메뉴를 끊임없이 개발하는 것처럼, 강사들도 뻔한 수업을 하면 안 된다.

변화를 만들고 기대를 심자

여기에 강사들이 수업 초반에 활용할 수 있는 여러 가지 활동들을 소개하였다. 모든 과목의 시니어 강사들이 적절하게 활용할 수 있으리라 생각한다. PART 3에서 소개한 다양한 활동들과 여기서 소개하는 미니 활동들을 연구하면, 수 없는 활동 조합이 나온다. 5-10분을 기본으로 하지만 그 이상 걸리는 것도 있다. 수업을 느리게 가지 않고 역동적으로 빠르게 운용하는 저자의 기준에 맞추었다고 보면 된다(p.25 참고). 인체 드럼 필인처럼 새로운 용어와 연주법을 가르쳐 주고 같이 해 볼 때 시니어들이 얼마나 즐거워하시는지 모른다. 본 수업으로 확장해서 활용할 수도 있다.

어려운 것도 쉽게, 흔한 것도 새롭게 접근해서 배우고 활동하면 강사도 즐겁고 시니어들도 기뻐하신다. 모두 강사의 열정과 성의에 달려 있는데, 기관 사람들 모두 알아보고 인정하게 된다.

1. 김장 박수

김장철에 할 수 있는 놀이로 〈김장 박수〉를 만들어 보았다. 인지 운동에 도움을 준다.

1. 배추 - 양손의 손목을 포개어 벌린다
2. 양파 - 양손으로 주먹을 쥐어 포갠다
3. 대파 - 엄지를 든다.
4. 쪽파 - 약지를 든다.

배추배추 짝짝 양파양파짝짝 대파대파짝짝 쪽파쪽파짝짝
배추짝 양파짝 대파짝 쪽파짝
배추 양파 대파 쪽파 짝짝

〈라면 박수〉
라면라면짝짝 스프스프짝짝 계란계란짝짝 후루룩후루룩짝짝
라면짝 스프짝 계란짝 후루룩짝
라면 스프 계란 후루룩 짝짝

라면- 쪼개는 흉내, 스프- 봉지 찢는 모습, 후루룩-젓가락
계란- 왼손 주먹에 오른손 검지로 톡 내리치는 모습

2. 지휘하기

쇼스타코비치 재즈 모음곡 2번중 왈츠

〈정석으로 배우는 젓가락 지휘법〉

왈츠에 들으며 지휘법을 배워 연주해 보자. 왈츠는 3박자의 춤으로 한 발씩 옮기면서 돈다. 빠른 왈츠의 3박자는 선 하나로 표현한다. '쿵짝짝'. 센터에서 트롯을 많이 듣는 시니어들이 가끔 다른 장르의 곡(클래식)으로 활동하면 신선해서 좋아하신다.

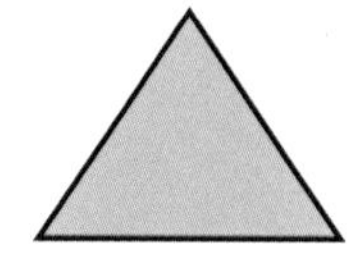
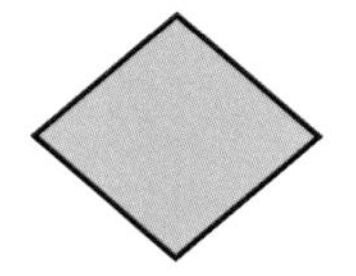

1단계: 젓가락으로 삼각형을 따라 리듬에 맞게 지휘한다.

2단계: 젓가락으로 마름모의 각 꼭짓점을 연상하면서 자유롭게 찍는다. 이마, 오른쪽 귀, 왼쪽 귀, 입 순으로 연상하면서 찍어도 좋다.

3단계: 마름모 모양의 각 꼭짓점에서 손목을 이용하여 부드럽게 공을 튕기듯이 표현한다.

4단계: 2박으로 온몸으로(양손으로도) 개성 있게 표현한다.

'곰 세 마리'를 부르며 하는 유치원 수준의 손유희 보다 지휘를 배워서 하게 되면 시니어들의 자존감이 높아진다. 지휘를 어렵게 생각하지 말고 시도해 보자. 의외로 좋아하신다.

3. 꼭짓점 왈츠 댄스

왈츠

왈츠를 친근감 있고 쉽게 가르치기 위해서 도형을 연상하여 춤추는 법을 가르쳐 보았다. 일어서서 왈츠 리듬에 맞게 열십자 모양 안에서 왔다 갔다 하면서 춤을 춘다.

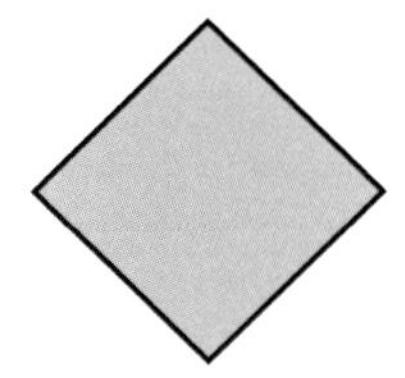

마름모 모양을 연상하면서 각 꼭짓점을 찍어도 좋다. 양발을 사용하여 자유롭게 표현해 보자.

일어서기 불편한 분들은 앉아서 발을 움직이면서 왈츠를 감상하며 몸을 즐겁게 흔드신다.

4. 상상 속 줄넘기 댄스

장미

시니어들은 주로 앉아서 생활하고 움직임이 정말 적다. 어떻게 해서든 즐거운 마음으로 몸을 움직이게 동기부여하는 것이 중요하다. 그래서 음악과 체육 활동을 겸하는 것은 효과적인 방법이다. 앉아서 하는 줄넘기 댄스도, 시니어들이 지금은 쉽게 하지 못하기 때문에 추억하며 운동하시라고 만들었다. 엄청 적극적으로 하신다. (곡: 사월과 오월 노래)

1. 두 발을 동시에 들었다 놨다 하면서 줄넘기할 때처럼 양손을 양 옆에서 앞으로 돌린다.
2. 두 발을 동시에 들었다 놨다 하면서 줄넘기할 때처럼 양손을 뒤로 돌린다.
3. 이단 뛰기도 해 보자.
4. 한 발씩 교대로 들면서 가위뛰기 흉내를 낸다.

* 숨쉬기부터 시작하여 1-2-3-4-1-2-3-4 반복한다.

5. 인체 드럼 필인 연주

시계바늘

인체를 이용하여 리듬감 있게 드럼 필인을 연주해 보자. 드럼 set의 스네어- 탐탐 1- 탐탐 2- 베이스 드럼을 각각 빠르게 16분음표로 4번을 치는 것을 필인이라고 한다.

1. 스네어 드럼은 왼쪽 무릎이다.
2. 탐탐 1 드럼은 오른쪽 무릎이다.
3. 탐탐 2 드럼은 배다.
4. 베이스 드럼은 가슴이다.

* 1-2-3-4 순으로 할 때, 오른쪽 발은 일정한 박자로 네 번을 친다. 연속해서 필인을 주면 힘들기 때문에 쉬어 가며 해야 한다(+ 숨쉬기 체조). 이때 강사가 인체 부위를 외쳐주면 따라 치기가 쉽다. 시니어들이 신나게 따라 치면서 즐거워하신다.

* 1-2-3-4 반복하여 치되 배에서만 4개의 드럼을 연상하여 빠른 16비트의 필인을 표현할 수도 있다. 이때, 오른손으로 심벌즈를 "꽝" 하고 치는 흉내를 내보기도 한다.

(곡: 신 유 노래, 신 웅 작곡)

6. 반대로 하는 인지 놀이

강사의 말과 반대로 말하는 인지 놀이 '반대로 외쳐요!'다.

1. "쿵" 하면 시니어들은 "짝"으로 외쳐야 한다.
2. "짝" 하면 시니어들은 "쿵"으로 외쳐야 한다.
3. "쿵쿵" 하면 시니어들은 "짝짝"으로 외쳐야 한다.
4. "쿵짝" 하면 시니어들은 "짝쿵"으로 외쳐야 한다.
5. "짝짝짝" 하면 시니어들은 "쿵쿵쿵"으로 외쳐야 한다.
6. "쿵쿵쿵" 하면 시니어들은 "짝짝짝"으로 외쳐야 한다.
7. "안으로" 하면 시니어들은 "밖으로"라고 외쳐야 한다.
8. "밖으로" 하면 시니어들은 "안으로"라고 외쳐야 한다.
9. "위로" 하면 시니어들은 "아래로"라고 외쳐야 한다.
10. "아래로" 하면 시니어들은 "위로"라고 외쳐야 한다.
11. "안으로 밖으로" 하면 시니어들은 "밖으로 안으로"라고 반대로 외쳐야 한다.
12. "밖으로 안으로" 하면 시니어들은 "안으로 밖으로"라고 반대로 외쳐야 한다.

7. 곤충 댄스

세상모르고 살았노라(미스터 팡 버전)

사마귀, 파리, 벌의 특징을 생각하면서 앙증맞고 다소 웃긴 곤충 댄스를 만들었다. 송골매의 '세상모르고 살았노라'라는 다소 무거운 가사를 가볍고 신나게 표현한 이 곡에 맞춰 흉내 내어 보자. 다이아몬드 스텝으로 춤을 추거나 때로는 테크노/목 댄스(사마귀)처럼 추어 보자.

1. 사마귀 – 열 손가락을 강하게 힘주어 구부려 먹잇감을 낚아채듯이 흉내를 낸다.
2. 벌 - 양손을 옆구리에 붙여 빠르게 날갯짓을 한다
3. 파리 -오른손을 왼손 손등에 얹어 비빈다.
4. 지렁이 - 두 손을 합창하여 위아래 좌우로 꼬불꼬불 움직이며 노래에 맞춰 리듬을 탄다.

8. 동물 댄스

젊은 미소(미스터 팡 버전)

기린, 코끼리, 물고기, 독수리의 특징을 생각하며 동물 댄스를 만들어 보았다. 먼저 각 동물을 어떻게 표현할지 물어보고 정한다. 특징을 표현할 때 강사가 좀 우스꽝스러운 표정을 지어가며 해야 재미있다. 처음에는 강사가 통아저씨 춤을 추면서 시동을 걸어 분위기를 띄운다. (곡: 건아들 노래, 심명섭 작곡)

1. 기린 - 왼손으로 오른손 팔꿈치를 받들고 오른손은 기린의 머리와 입이 되어 높은 나무의 잎을 따 먹는 흉내를 표현하며 춤을 춘다.
2. 코끼리 - 코끼리는 코가 손이다. 왼손으로 오른쪽 귀를 잡고 그 사이로 오른손이 들어가 주먹을 쥐고 휘저으며 춤을 춘다.
3. 물고기 - 두 손을 포개어 지느러미가 움직이듯이 빠르게 요리조리 움직이며 춤을 춘다.
4. 독수리 - 양팔을 벌려 넓게 날갯짓을 하며 먹잇감을 낚아챈다.

9. 장닭 흉내 내기

동물의 사육제 중 '닭'

프랑스 작곡가 생상의 '동물의 사육제' 중 '닭' 음악을 들으며 장닭을 흉내 내어 표현한다. 장닭을 흉내 내는 것은 웃음 기법 중의 하나이다.

1. 고개를 숙이고 오른손으로 오른쪽 허벅지 옆을 3번 친다.
2. 고개를 서서히 들면서 최대한 큰 소리로 "꼬끼오~~" 하고 외친다.
3. 웃음의 3대 기법을 설명하고 '웃음' 실습을 한다.

웃음의 기법과 웃음소리의 종류가 우리 몸에 어디에 영향을 미치는지 알아보자.

1. 웃음의 3대 기법

   크~게 웃기 / 길~게 웃기 / 온~몸으로 웃기

2. 웃음이 우리 인체 어디에 영향을 미칠까?

   -하하하하 = 심장과 폐에 좋다

   -호호호호 = 소장, 대장, 위에 좋다

   -히히히히 = 두통, 편두통에 좋다.

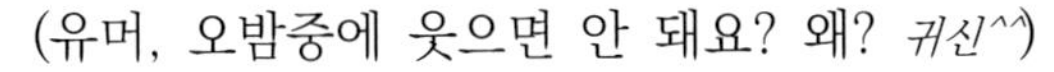

   (유머, 오밤중에 웃으면 안 돼요? 왜? *귀신^^*)

   -헤헤헤헤 = 갑상선에 좋다. (갑상선 주변이 떨린다)

   -후후후후 = 신장에 좋다.

10. 흔들의자 체조

비발디의 사계 등 겨울 2악장

눈 오는 날 비발디의 사계 중 겨울 2악장(약 2분 소요)을 들으며, 흔들의자에 앉아서 신문을 읽는 흉내를 내며 골반체조를 해 보자. 또는 뜨개질하는 모습도 좋다. 마음을 평온케 하는 클래식으로 몸풀기를 하고 본격 수업에 들어간다.

1. 골반과 허리를 좌우로 움직인다.
2. 몸을 앞뒤로 움직인다.
3. 8자를 옆으로 그리면서 골반을 움직인다.
   한 번은 왼쪽에서, 또 한 번은 오른쪽에서 시작한다.

11. 고무줄/밴드 체조

동물의 사육제 중 '백조'

프랑스 작곡가 생상의 '동물의 사육제' 중 백조 음악을 들으며 발레를 하듯이 고무줄을 길게 늘어뜨렸다가 줄였다가 하는 표현을 한다.

1. 고무줄을 길게 활쏘기 하듯 좌·우로 늘어뜨리기
2. 고무줄을 좌·우 대각선으로 길게 늘어뜨리기
3. 고무줄을 상·하 수직으로 길게 늘어뜨리기
4. 고무줄에 발을 넣고 무릎에 걸어 옆으로 늘어뜨리기
5. 고무줄에 발을 넣고 발목에 걸어 옆으로 늘어뜨리기

12. 자석 놀이

만남

자석 체조는 강사의 손/발을 보고 자석에 끌려오듯이 따라오는 체조다. '나 따라 해 봐라'와 비슷한데, 거울에 반사되는 모습을 연상하면서 천천히 끌려오듯이 움직이는 것이 포인트. 발로 할 때는 강사가 앉아서 하면 된다.

오른손, 왼손 각각 할 때도 있고 양손을 같이 움직일 때도 있다. 시니어들은 집중하여 강사의 손바닥에 붙이려고 따라와야 한다. 노래를 부르며 활동해 보자. 리듬감 있게 춤추듯 하면 재미있다.

(곡: 노사연 노래, 최대석 작곡, 박신 작사)

짝을 지어 할 수도 있다. "누가 먼저 리드할까요?"
"자기가 짝꿍보다 더 예쁘다고 생각하는 사람이 시작하세요~"
"왜 안 하세요?'

"우열을 가리기가 힘드시면 오른쪽 분이 먼저 하세요~"

13. 티키타카 놀이

강사의 말을 듣고 빠르게 이어서 말하는 놀이다. 하하호호를 끝으로 하여 계속 웃도록 유도하는 것이 목적이다.

1. “하늘 천” 하면 “따지”라고 한다.
2. “하나둘” 하면 “셋넷”이라고 한다. “
3. 1,2” 하면 시니어들은 “3,4” 하고
4. “가나” 하면 “다라”라고 한다
5. “AB” 하면 “CD”라고 한다
6. “칙칙” 하면 “폭폭”라고 한다
7. “주고” 하면 “받고”라고 한다.
8. “왔다” 하면 “갔다”라고 한다.
9. “동서” 하면 “남북”이라고 한다.
10. “하하” 하면 “호호”라고 한다.

* 10. ‘하하 -호호’는 어깨를 위아래로 들썩들썩하면서 열 번 이상 빠르게 진행한다. * 유튜브 참조

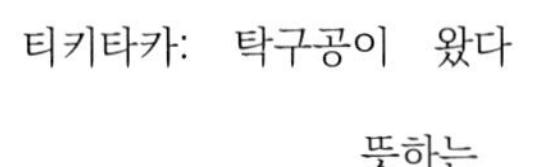
티키타카: 탁구공이 왔다 갔다 하는 모습을 뜻하는 스페인어

14. 칙칙폭폭 안마 댄스

무정 열차

시니어 전체가 앞 또는 옆 사람의 어깨나 허리에 손을 얹어 기차처럼 연결하고 하는 놀이다. 안마와 댄스를 함께 하는 것은 쉽지 않다. 두 가지를 동시에 하는 것은 인지에 좋은 활동이다.

1. 골반과 허리를 좌우로 움직이며 안마한다.
2. 몸을 앞뒤로 움직이며 안마한다.

옆 사람에게 "칙칙폭폭 칙칙폭폭~" 계속 말을 하며 안마하다가 강사가 '그만'하면 주무르는 것을 멈춘다. 길게 또는 짧게 하면 더욱 재미가 있다. 예를 들면 칙칙하고 한두 번 주물렀는데 '그만 방향 바꿔요' 하면 재빨리 허리도 돌려야 하고(허리운동) 순발력도 향상될 것이다.

(곡: 남인수 노래, 반야월 작사, 이재호 작곡)

15. 설날 윷놀이 게임

윷놀이(동요)

윷놀이(최예원 노래, 이용수 작곡, 전유순 작사) 동요를 듣고 부르며 할 수 있는 게임을 만들어 보았다.

1. 도 - 박수 한 번
2. 개 - 박수 두 번
3. 걸 - 박수 세 번
4. 윷 - 박수 네 번
5. 모 - 박수 다섯 번
6. 빽도 - 이마를 한 번 친다. *(아이쿠 뒤로 가네~)*

* 연습을 한 다음 노래에 따라 '윷'이 나오면 박수 네 번, '모'가 나오면 박수 다섯 번을 친다.
또는 노랫말에 '덩실덩실 춤'이란 말이 나오면 춤을 춘다

* 노래 중에 강사가 '걸' 하면 박수를 세 번 치기도 하고 '빽도' Back Do하면 이마를 치며 재미있게 표현한다.

* 두 팀으로 나누어 박수를 맞게 치는 팀이 이기는 놀이도 해 보자. 박수를 먼저 들려주고 거꾸로 윷말 이름을 맞추게 할 수 있다. 먼저 화면을 통해 연습한다.

16. 의태어 인지 놀이

물레방아 인생(조영남)

의태어는 모양이나 움직임을 흉내 내어 묘사하는 낱말을 일컫는다. 예를 들어, 기는 모습을 나타내는 '엉금엉금', 둥근 모양을 나타내는 '동글동글', 끝이 날카로운 모양을 가리키는 '뾰족뾰족', 흔들림을 묘사한 '흔들흔들' 등이 있다. 그 외 끄덕끄덕, 방긋방긋, 반짝반짝, 헐레벌떡 등 이 일곱 가지 의태어를 가지고 노래하면서 재미있게 표현해 보자.

강사가 노래 중에 다음과 같이 말하면 “ ”
시니어들은 손/몸동작을 하며 표현한다.

1. “동글동글” - 양손으로 크게 작게 동그랗게 만든다.
2. “뾰족뾰족” - 양손으로 세모 모양을 만든다
3. “흔들흔들” - 온몸을 흔들흔들한다. (술에 취한 사람을 흉내)
4. “끄덕끄덕” - 고개를 끄덕인다
5. “방긋방긋” - 양손을 입가에 대며 양손을 상하로 움직인다.
6. “반짝반짝” - 양손을 좌우로 돌린다.
7. “헐레벌떡” - 혀를 내밀며 숨이 찬 흉내를 낸다.

17. 시니어 좌식 라인 댄스

주와 같이 길 가는 것(디스코 버전)

남녀노소가 다 즐거워하는 널리 알려진 찬송가 곡인데 반주와 간주 부분에서는 겨드랑이 춤을 춘다. 라인 댄스의 특징이 발 동작이므로 좌우로 움직이는 발 동작을 넣어서 해 본다.

1절- 노젓기 (좌/우로)

2절- 손을 위로 흔들며 손뼉을 치며 리듬을 타며
허리를 좌우로 흔든다.

3절- 1절과 2절 복합

후렴구- 연 실패 돌리듯이 좌/우로 빠르게 돌린다.
돌리다가 마지막 박자에 박수를 친다.

* 음악은 유튜브 구자억 목사의 '주와 같이 길 가는 것'

18. 제기 댄스

실로암(디스코)

군인떼창으로 유명해진 신나는 '실로암'을 가지고 치어리딩을 해 보자. 제기는 시니어들에게 추억의 놀잇감이다. 제기는 술이 반짝이는 것으로 한다. 예뻐서 시니어들이 좋아하고 남자분들에게는 제기를 찰 기회를 줄 수도 있다. 명절에 해도 좋다.

(곡: 신상근 목사 작사/작곡)

1. 위에서 리듬을 타며 제기를 손목으로 돌리며 흔든다.
2. 아래에서 손목으로 돌리며 제기를 흔든다.
3. 오른쪽에서 손목으로 돌리며 제기를 흔든다.
4. 왼쪽에서 손목으로 돌리며 제기를 흔든다.
5. 오른손/왼손을 번갈아 앞으로 내밀며 제기를 흔든다.
6. 양손에 든 제기를 크게 원을 그리며 반짝반짝 흔든다.

* 노래가 끝날 때까지 반복하여 부른다.

* 제기차기는 하체 혈액 순환에 탁월한 운동이라 하니 추운 날 많이 하자.

19. 쌀보리 리듬 놀이

리듬스틱으로 다양한 리듬 구성의 쌀보리 놀이를 해보자. 수백여 가지가 나온다. 리듬스틱을 양손에 쥐고 있다가 '쌀'하면 리듬스틱으로 한 번만 치고 '보리'하면 리듬스틱으로 두 번 치면 된다. 이때, 강사는 지휘봉으로 화면을 보며 하나하나 짚어준다.

1. 쌀- 보리- 보리- 쌀- 보리- 보리- 쌀- 쌀- 보리

   마지막이 '보리'일 경우엔 오른손에 쥔 스틱을 앞으로 내민다.

2. 보리- 쌀- 보리- 쌀- 보리- 보리- 쌀- 보리- 쌀

   '쌀'로 끝나면 오른손에 쥔 스틱을 왼쪽 가슴에 붙인다.

〈예시〉

* 보리- 보리- 쌀- 쌀- 보리- 쌀- 쌀- 보리

* 보리- 쌀- 보리- 쌀- 보리- 보리- 쌀- 쌀

20. 깃발 응원 댄스

발로차(월드컵 공식 응원가)

깃발 2개(흰색과 파란색)를 준비하여 양손에 각각 쥐고 흔든다. 반주와 간주 부분에서는 겨드랑이 춤을 춘다. 깃발이 저렴하니 구비해 두고 청/백기 올려 게임3-2을 할 때도 활용하자. 월드컵이나 올림픽 시즌에 우리나라를 응원하면서 불러 보자.

1. 오른손에 쥔 깃발 흔들기
2. 왼손에 쥔 깃발 흔들기
3. 양손 대각선으로 좌우로 흔들기
4. 양손 머리 위로 흔들기 등

(곡: 클론 노래)

21. 채플린의 상상 속 지팡이

갈대의 순정(혹은 MR)

하체를 강화하는 근육운동을 해 보자.

1. 오른손으로 지팡이 잡고 앉았다 일어섰다 반복
2. 왼손으로 지팡이 잡고 앉았다 일어섰다 반복
3. 양손으로 지팡이 잡고 앉았다 일어섰다 반복
4. 양손으로 지팡이 잡고 스쾃(스쿼트) 자세
5. 하늘 높이 흔든다. 오른손, 왼손
6. 지팡이를 높이 던지고 다시 잡아서 지팡이를 돌린다.

* 실제 지팡이로 하고 싶다면 신문지를 말아서 하면 된다.

(곡: 박일남 노래, 오민우 작사/작곡)

22. 탱탱볼 미니 체조

오 거룩한 밤(오케스트라 버전)

1. 양 손바닥으로 탱탱볼 잡고 누르기
2. 양손의 엄지손가락으로 탱탱볼 잡고 누르기
3. 양손의 두 손가락으로 탱탱볼 잡고 누르기
4. 양손의 세 손가락으로 탱탱볼 잡고 누르기
5. 양손의 엄지를 제외한 네 손가락으로 탱탱볼 잡고 누르기
6. 양손의 약지와 엄지로 탱탱볼 잡기
7. 양발의 발목에 끼워 탱탱볼 누르기
8. 양발의 무릎에 끼워 탱탱볼 누르기
9. 양발의 허벅지에 끼워 탱탱볼 누르기
10. 탱탱볼로 전신 안마하기

* 다른 느리고 서정적인 음악을 택하여 활동해도 좋다.

(곡: 아돌프 아당 작곡, 크리스마스 캐롤)

23. 종이 사과 깎기

세상은 요지경

손으로 사과를 깎아 볼까요? 소근육 운동과 집중력 향상을 위해서 종이 사과를 손으로 깎아보자. 달고나의 무늬대로 자른다고 생각하면 된다. 추억의 달고나 이야기를 하면서 재미있게 해 보자. 사과가 아닌 달고나 모양을 인쇄해서 할 수도 있다.

A4용지 위에 그려진 종이 사과를 양손을 이용하여 조금씩 찢어서 깎는다. 종이가 끊어져서는 안되고, 찢으면서 사과를 침범해서도 안된다.

* 시간을 정해 놓고 해도 좋고, 먼저 한 분 혹은 성공한 분들에게 상을 주어도 좋다. (곡: 신신애 노래/작사, 박시춘 작곡)

24. 성게 볼 도구 체조

가는 세월

노래를 부르면서 오돌도돌 돌기가 있는 공인 성게 모양의 볼을 손으로 주무르다가 점점 팔로 올라가면서 마사지해 보자. 소근육 운동도 되는 주무르기 활동은 뇌를 깨우기 때문에 어떤 도구를 사용하든 자주 사용하는 게 좋다고 생각한다. 성게 볼로 온몸을 문지르는 것도 자극이 된다.

성게 볼은 마사지 볼, 테라피 볼 등으로 불리는데 크기가 다양한데 큰 것이 마사지 효과가 더 나은 것 같다. 취향에 따라 선택하면 된다. (곡: 서유석 노래, 김광정 작사/작곡)

〈세월에 대한 예의〉

1. Never hate
2. Don't worry
3. Live simply
4. Expect a little
5. Give a lot
6. Live with love
7. Smile more
8. Most importantly, be with God

25. 접시 놀이

옹이

사전에 먼저 퀴즈를 낸다. 접시로 나비 모양을 어떻게 만들까요? 눈사람과 조개도 물어보고 맞추신 분을 칭찬해 주면 엄청 적극적으로 하신다. 그 후에 노래를 부르면 자연스럽다.

(곡: 조항조 노래, 신재동 작곡)

* 나비: 양손에 접시를 쥐고 대각선으로 펼친 다음 날갯짓 한다.

* 조개: 왼손에 접시를 하늘 방향으로 한 다음 오른손에 쥔 접시로 덮었다 들었다 하여 조개가 살아있음을 표현한다.

* 눈사람: 양손에 든 접시를 위아래 8자를 만들어 눈사람으로 표현한다.

접시로 가위바위보를 하는 법을 알려주고 연습한다. 시합을 해도 좋다. 가위바위보와 나비/조개/눈사람 흉내를 내며 노래를 부른다. 리듬을 타며 흥겹게 부르고 칼군무처럼 멋지게 하신다.

1. 가위: 양손에 접시를 쥐고 가슴에 대각선으로 댄다.
2. 바위: 양손에 접시를 쥐고 포갠다
3. 보: 양손에 접시를 쥐고 반팔 간격으로 좌우로 벌린다.
4. 짝(박수)

* 1-2-3-4를 연결 동작으로(4박자). 가위바위보가 주 리듬치기

26. 훌라후프 도구 체조

영영

유치원 아이들이 사용하는 아주 작은 사이즈의 훌라후프를 준비한다. 시니어들이 좋아하는 나훈아의 '영영'을 함께 부르며 간단한 스트레칭을 하자. 동작은 느리게 한다.

1. 원을 그리며 지압
2. 동서남북으로 움직인다.

* 백업봉을 이용한 마사지 활동 때 종종 한 활동인데 훌라후프로 해도 좋다. 인원이 적은 시설에서 가능하다.
* 명절에 훌라후프를 이용한 투호 놀이를 할 때 이 곡을 시작곡으로 쓰면 좋다. 시중에 파는 투호놀이 통은 넣기가 너무 어려운데, 큰 우산꽂이를 투호 통으로 쓰는 곳도 보았다.

27. 상차림 메모리 게임

아모르 파티(김연자 노래, 윤일상 작곡)

노래가 끝날 때까지 음식/과일 카드를 옮기면서 기억(메모리)한다. 마지막 사람은 상(작은 소쿠리/쟁반)에 담긴 음식을 강사에게 옮겨준다. 어떤 음식들이 있었는지 시니어들에게 물어보자. 명절에 명절 음식으로 해도 괜찮다. 수를 많이 해서 풍성한 상차림을 해 보자.

5첩반상

두 팀으로 나누어 진행하면 더욱 재미있다.
1단계: 노래가 끝날 때까지 어느 팀이 빠르게 옮기나 경기한다.
2단계: 음식을 가장 많이 외운 팀이 이긴다.

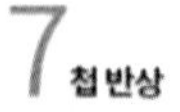

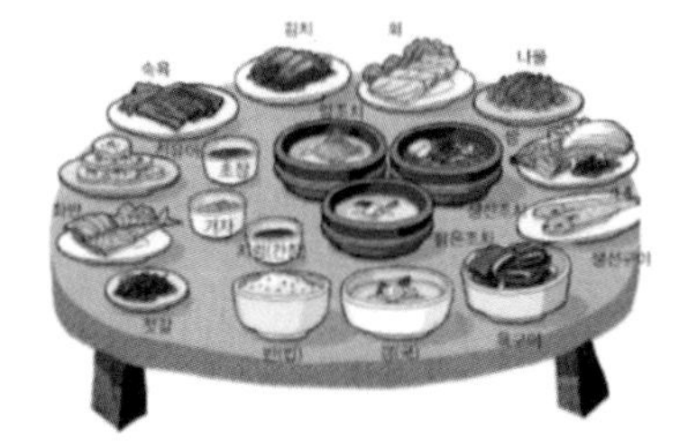

9첩반상
9첩 반상
기본 : 밥·국·초장·겨자·간장·김치·
젓갈·나물·쌈
첩 음식 : 탕조치·생선조치·맑은조치·좌반·
전유어·숙육·회·생선구이·육구이(9)

28. 태극 모양 부채춤

별나비 꽃나비

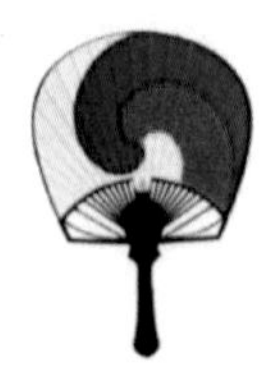

양손에 태극 모양의 부채를 들고 배금성의 '별나비 꽃나비'에 맞춰 부채춤을 추어 보자. 미술 시간이 부채 만들기를 했다면 그것을 활용하면 된다.

1. 양손에 든 부채를 높이가 다르게 날갯짓 한다.
2. 양손을 점점 넓게 벌려 크게 날갯짓 한다.
3. 양손을 점점 좁혀 대각선으로 교차하여 두 마리의 나비가 만남을 표현한다.
4. 손뼉 치듯이 앞뒤로 네 번을 연속하여 치되 위로 올라가면서 친다.
5. 간주와 마지막 부분은 원을 크게 그리며 반짝반짝 내려오다가 양손을 합장한 상태에서 위로 올라가서 팔을 크게 펼치며 내려온다.

29. 시니어 발레 무용

사랑 없인 난 못 살아요

가사와 멜로디가 간결하고 서정적인 조영남의 '사랑 없인 못 살아요'를 배우고 불러 보자.

1. 두 손을 대각선으로 뻗은 후 양손을 가슴에 올린다.
2. 두 손을 가슴에 댄 후 양 손을 옆으로 뻗었다가 양손을 하늘로 올리는 자세를 취한다.
3. 두 손을 대각선으로 뻗은 후 양손을 가슴에 올린다.
4. 두 손을 V자로 올린 후 가슴 앞으로 모은다.
5. 오른팔을 오른쪽 방향으로 뻗으며 한 바퀴를 돈다. (앉아서 가능)
6. 왼팔을 왼쪽 방향으로 뻗으며 한 바퀴를 돈다. (앉아서 가능)
7. 오른손을 얼굴 앞에서 머리 위로 크게 원을 그린다. 안→밖
8. 왼손을 얼굴 앞에서 머리 위로 크게 원을 그린다. 안→밖
9. 양팔을 통나무를 안듯이 동그랗게 만들고 위아래로 움직인다.

* 4박자 지휘를 흉내 내면서 가사를 음미하여 불러 보자.

30. 사교장 댄스

사교장 댄스 음악

준비물: 풍선

80년대 사교장에서 추는 댄스 음악을 준비하여 신나게 춤을 추자. 몸이 가는 대로 추는 막춤 시간인데, 잠시 춤을 추다가 강사가 풍선 2개를 날린다. 풍선이 나에게 떨어지면 툭 쳐서 날려 버리면서 춤을 춘다. 풍선을 클럽에 들어온 불청객이라고 생각하고 쳐 버린다. 풍선이 가까이 오면 다른 사람에게 멀리 보내면서 자유롭게 추는 막춤 댄스 타임~!

* 풍선의 개수는 시니어들의 인원수를 고려하여 정한다.
  보통 2개가 적당하다. 서서 하거나 앉아서 할 수 있다.
* 풍선을 계속 쳐내면서 추는 것이라 풍선을 의식해야 한다.

31. 고래와 코끼리 댄스

코끼리 아저씨(정광태 노래방 버전)

'코끼리 아저씨'는 학창 시절 소풍, 장기/체육대회 때 자주 부르던 건전 가요였다. 노랫말에 따라 율동 댄스를 하면서 가볍게 수업을 열어 보자.

1. 고래 아가씨: 두 손을 합장하여 꼬불꼬불 표현한다.
2. 코끼리 아저씨: 오른손을 왼쪽 귀에 대고 그 사이로 들어간 왼손은 쭉 뻗어 휘젓는 자세를 취한다.
3. 첫눈에 반해 윙크: 두 손의 엄지와 검지를 동그랗게 만들어 양쪽 눈에 갖다 댄 후 윙크
4. 육지 멋쟁이: 엄지 척한다.
5. 나는 바다 예쁜이: 양손을 턱에 대어 예쁜 척한다.
6. 피아노는 오징어: 피아노 치는 흉내를 낸다.
7. 조개껍데기: 왼손을 하늘 방향으로 한 다음 오른손을 덮었다 들었다 하여 조개가 살아있음을 표현한다.

부록

1. 우드스푼 만드는 법

우드스푼은 숟가락이 각각 독립된 상태에서는 소리를 내기가 시니어들에게는 다소 부담스럽고 어렵다. 자연스럽게 지압하고 또 쉽게 소리 내어 리듬을 표현할 수 있도록 우드스푼을 하나로 만드는 과정을 소개한다.

〈순서〉

1. 두 개의 숟가락을 둥근 면이 서로 마주보도록 한다
2. 2.5cm × 3cm 정도의 스티로폼을 잘라내어 숟가락의 손잡이 아래 사이에 끼워 넣는다.
3. 끼워진 스티로폼이 움직이지 않도록 숟가락 두 개를 동시에 힘껏 잡은 다음 전기 테이프로 감아준다.
4. 스티로폼이 잘 자리 잡은 걸 확인한 후 쳐서 소리를 내어본다.
5. 두 개의 숟가락이 붙어 있지 않도록 하기 위해서 스티로폼을 끼는 것인데, 숟가락의 둥근 면이 반드시 <u>0.5cm정도 떨어져야</u> 정상적인 소리가 난다.

2. 수업 구성 예시(50분)

		주제	내용
5분	집중하기(도입)	건강 지압 박수	홍시 (울엄마) 디스코 음악에 맞춰 건강 지압 박수하기
10분	복습하기(상기)	-악기댄스 -챠밍댄스	-'고향역' 노래에 맞춰 악기 댄스 복습하기 -'마리아 메렝게' 음악에 맞춰 좌식 차밍 수영 댄스 복습하기
30분	학습하기(전개)	-인체리듬 -백업봉 운전댄스	-우드스푼으로 인체 리듬 익히기 -'흥부자'를 부르며 백업봉 운전 댄스 익히기
5분	차시 예고(결말)	웃음과 울음 음악	-다음 주는 웃음과 울음에 관련된 음악과 감정 조절 표현법을 배울 것을 예고하기
	마무리(정리)	교가 부르기	-'사랑해' 가사에 따라 율동하며 교가 부르기 -노래 끝나면 인체 표현하며 '사랑합니다' 인사나누기
색소폰 연주하기(유 레이즈 미 업 You raise me up)			

"훌륭한 예술가는 베낀다.
그러나 뛰어난 예술가는 훔친다."

피카소

[11 For I know the plans I have for you,"

declares the LORD,

"plans to prosper you and not to harm you,

plans to give you hope and a future.]

(an expected end, KJV.)

Jeremiah 29:11 NIV.